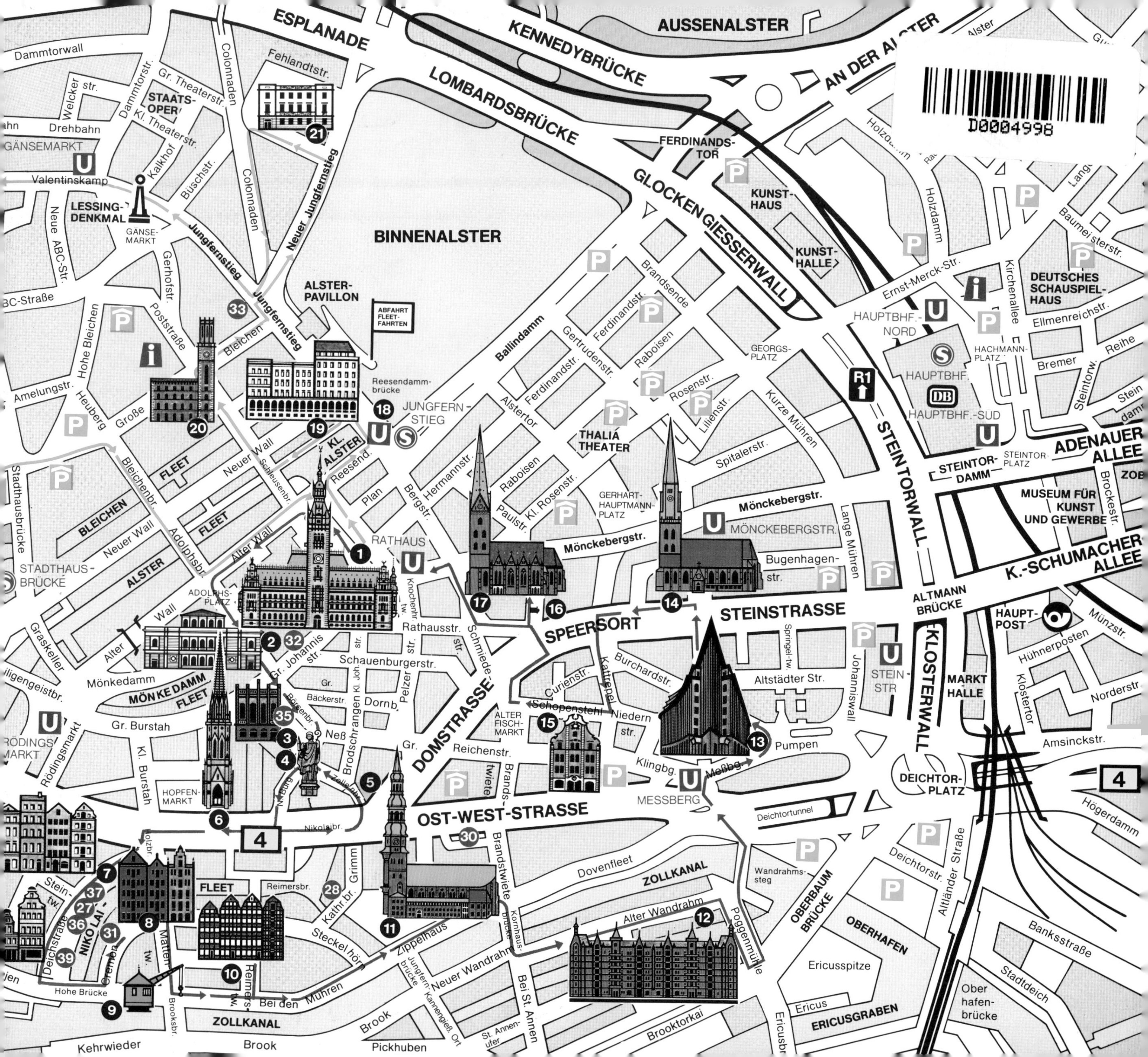

AUSSENALSTER
ESPLANADE
KENNEDYBRÜCKE
AN DER ALSTER
LOMBARDSBRÜCKE
Dammtorwall
Fehlandtstr.
Colonnaden
Gr. Theaterstr.
STAATS-OPER
Dammtorstr.
Welcker str.
Drehbahn
Kl. Theaterstr.
GÄNSEMARKT
Valentinskamp
Kalkhof
Büschstr.
LESSING-DENKMAL
GÄNSE-MARKT
Neuer Jungfernstieg
Jungfernstieg
BINNENALSTER
FERDINANDSTOR
GLOCKENGIESSERWALL
KUNST-HAUS
KUNST-HALLE
Holzdamm
Baumeisterstr.
Ernst-Merck-Str.
Kirchenallee
DEUTSCHES SCHAUSPIEL-HAUS
Ellmenreichstr.
HAUPTBHF.-NORD
HAUPTBHF.
HAUPTBHF.-SÜD
HACHMANN-PLATZ
Bremer Reihe
Steintorw.
Neue ABC-Str.
ABC-Straße
Gerhofstr.
Poststraße
ALSTER-PAVILLON
ABFAHRT FLEET-FAHRTEN
Ballindamm
Brandsende
Ferdinandstr.
Gertrudenstr.
Raboisen
GEORGS-PLATZ
Rosenstr.
Kurze Mühren
Lilienstr.
Hohe Bleichen
Amelungstr.
Heuberg
Große Bleichen
Reesendammbrücke
JUNGFERN-STIEG
KL. ALSTER
Reesend.
Alstertor
THALIA THEATER
Spitalerstr.
STEINTORWALL
STEINTOR-DAMM
STEINTOR-PLATZ
ADENAUER ALLEE
MUSEUM FÜR KUNST UND GEWERBE
Brockestr.
Stadthausbrücke
BLEICHEN
FLEET
Neuer Wall
Schleusenbr.
Plan
Bergstr.
Hermannstr.
Paulstr.
Kl. Rosenstr.
GERHART-HAUPTMANN-PLATZ
Mönckebergstr.
MÖNCKEBERGSTR.
Lange Mühren
Bugenhagenstr.
STADTHAUS-BRÜCKE
ALSTER
Adolphsbr.
Alter Wall
RATHAUS
ADOLPHS-PLATZ
Knochenhauertw.
Rathausstr.
Schmiedestr.
SPEERSORT
STEINSTRASSE
K.-SCHUMACHER ALLEE
ALTMANN BRÜCKE
HAUPT-POST
Münzstr.
Hühnerposten
Graskeller
Alter Wall
Gr. Johannis str.
Schauenburgerstr.
Pelzerstr.
Burchardstr.
Kattrepel
Springeltw.
Johanniswall
STEIN STR.
KLOSTERWALL
MARKT HALLE
Klostertor
Norderstr.
Mönkedamm
MÖNKEDAMM FLEET
Gr. Bäckerstr.
Kl. Joh.
Dornb.
DOMSTRASSE
Curienstr.
Altstädter Str.
Schopenstehl
Niedern str.
ALTER FISCH-MARKT
Börsenbr.
Neß
Brodschrangen
Gr. Reichenstr.
Brandstwiete
Gr. Burstah
Kl. Burstah
RÖDINGSMARKT
Rödingsmarkt
HOPFEN-MARKT
Klingbg.
Meßbg.
Pumpen
Amsinckstr.
MESSBERG
DEICHTOR-PLATZ
Deichtortunnel
OST-WEST-STRASSE
Nikolaibr.
Högerdamm
Holzbr.
Dovenfleet
ZOLLKANAL
Wandrahmssteg
Deichtorstr.
Altländer Straße
Banksstraße
Stein-tw.
FLEET
Reimersbr.
Katharinenbr.
Grimm
NIKOLAI-FLEET
Deichstraße
Cremon
Steckelhörn
Zippelhaus
Kornhausbrücke
Alter Wandrahm
Poggenmühle
OBERBAUM BRÜCKE
OBERHAFEN
Ericusspitze
Stadtdeich
Ober hafen-brücke
Hohe Brücke
Matten-tw.
Reimers-tw.
Bei den Mühren
Neuer Wandrahm
Jungfernbrücke
Kannengieß. Ort
Bei St. Annen
Ericus
ERICUSGRABEN
Brooksbr.
ZOLLKANAL
Brook
Brooktorkai
Kehrwieder
Pickhuben
St. Annenufer
Ericusbr.
1 2 3 4 5 6 7 8 9 10 11 12 13 14 15 16 17 18 19 20 21 27 28 30 31 32 33 35 36 37 39
R1
DB

ZIETHEN-PANORAMA VERLAG
D-53902 Bad Münstereifel, Flurweg 15
Telefon (0 22 53) 60 47

3. Auflage 1997

Gesamtherstellung:
ZIETHEN-Farbdruckmedien GmbH
D-50999 KÖLN, Unter Buschweg 17
Fax: (0 22 36) 6 29 39

Printed in Germany

Redaktion und Buchgestaltung: Horst Ziethen
Textautor: Reiner Büchtmann
Englische Übersetzung: Gwendolen Freundel
Französische Übersetzung: France Varry

ISBN: 3-929932-46-6

HAMBURG IM FARBBILD

Text: Reiner Büchtmann
Fotos: Fritz Mader u.a.
Luftbilder: Deutsche Luftbild

AUS HAMBURGS GESCHICHTE

Nein, Hamburg liegt nicht am Meer. Auch, wenn es hier ab und an nach Teer und Algen riecht. Hamburg liegt an der Elbe. Das Meer grüßt alle sechs Stunden mit einer kräftigen Flutwelle, die im ewig gleichen Rhythmus wieder verebbt. Egal, wie man nach Hamburg kommt, die Elbe erblickt man immer. Sie ist die Lebensader der Stadt.
Wo sie mit der Alster zusammenfließt, bot bereits im siebten Jahrhundert eine kleine Anhöhe zwischen den heutigen Straßen Speersort und Schopenstehl sächsischen Siedlern Raum für ein kleines Dörfchen. Aus der "Hammaburg", die der fränkische Kaiser Karl der Große als Ausgangspunkt für die Christianisierung des Nordens hier um 834 erbauen ließ, entwickelte sich im Verlauf der Jahrhunderte ein ansehnlicher Handelsplatz. Auch wenn der Flecken immer einmal wieder von Wikingern oder Slawen erobert und verwüstet wurde. Wohlgemerkt: Ein Jahrhundert sind drei bis vier Menschengenerationen!

DIE HERREN DER ELBE

1189 erteilte Kaiser Friedrich Barbarossa den Hamburgern das Privileg, ihre Waren auf der gesamten Elbe unverzollt zu befördern. Weswegen Hamburg heutzutage am Wochenende nach dem 7. Mai den "Hafengeburtstag" feiert. Es gibt sogar eine Urkunde hierüber, obwohl die Kaiser zu jener Zeit gar nicht jedes Wort, das sie jemandem gaben, aufschreiben ließen. Die Hamburger haben diese Urkunde etwa 100 Jahre später selbst gefälscht, um ihr Vorrecht besser beweisen zu können. Auch wenn der Freibrief den Kaufleuten eine starke Stellung gegenüber ihren Nachbarn einräumte, so ist doch anzunehmen, daß es eher die einmalig günstige Lage zwischen Ost- und Nordsee war, die Hamburgs Aufstieg zur Handelsmacht gefördert hat.
Dank eines Wehrturms auf der Insel Neuwerk in der Elbmündung (sie ist noch heute Hamburger Stadtteil – immerhin mehr als 100 Kilometer entfernt) und einer Festung in der Nähe Cuxhavens verfügte Hamburg über die ganze Elbe von der Alstermündung bis zur Nordsee. Und selbst so gefährliche Seeräuber wie der berühmte Klaus Störtebeker und seine "Vitalienbrüder" wurden

THE BEGINNINGS OF HAMBURG

No, actually, Hamburg is not on the sea, even if you catch a whiff of tar and seaweed from time to time. Hamburg is on the river Elbe. The ocean – in the form of a powerful tidal wave – intrudes every six hours, then ebbs away in the same everlasting rhythm. However you approach Hamburg, you can't miss the Elbe, for it is the lifeline of the city.
Back in the 7th century, there was a little Saxon settlement on a hill between the present-day streets of Speersort and Schopenstehl. In 834 Emperor Charlemagne founded the fortress of Hammaburg. Originally the starting-point for the conversion of the heathen north, the Hammaburg developed over the centuries into a sizeable trading centre. Although it was a popular spot for the raids and ravagings of Vikings and Slavs, revival came with the following generation – and as each century naturally brings forth three or four generations, the Hammaburgians hung on.

LORDS OF THE ELBE

In 1189 Emperor Friedrich Barbarossa exempted the citizens of Hamburg from paying transport tolls along the Elbe. (Hamburg still celebrates the event on its `Harbour Birthday', in May.) Although not all the Emperor's edicts were recorded, this one is not only documented by an authentic warrant but also by a forgery which the townspeople produced a century later in case anyone should cast doubt on their privileges. If the merchants' charter didn't mince words about Hamburg's superior status in the region, in the end it was probably the city's uniquely advantageous situation between the North Sea and the Baltic that was to mark its ascendancy as a great trading power.
More than 100 kilometres downriver, two fortifications at the mouth of the Elbe – a tower on the isle of Neuwerk (which remains a borough of Hamburg) and a fortress near Cuxhaven – enabled the city to lay claim to that crucial stretch of river from the confluence of the Alster to the North Sea. Bloodthirsty pirates such as the infamous Klaus Störtebeker and his band of freebooters were utterly defeated off Helgoland by Hamburg's war fleet in 1401. They were beheaded on

APERÇU DE L'HISTOIRE DE HAMBOURG

Même si l'on y respire parfois des effluves d'air marin, Hambourg ne s'étend pas au bord de la mer, mais sur la rive droite de l'Elbe. La mer salue pourtant toutes les six heures, avec une forte marée qui se retire en un rythme éternel. L'Elbe est omniprésent, il est l'artère vitale de la ville.
Dès le 7e siècle, on trouve un village de colons saxons sur une petite hauteur au confluent de l'Elbe et de l'Alster, là où s'étendent aujourd'hui les rues Speersort et Schopenstehl. Au fil des siècles, la "Hammaburg", forteresse construite en 834 par Charlemagne comme point de départ pour l'évangélisation du Nord, va se développer en une place de commerce importante en dépit de plusieurs attaques et pillages des Slaves ou des Vikings.

LES SEIGNEURS DE L'ELBE

En 1189, l'empereur Frédéric Barberousse accorde aux Hambourgeois le privilège de transporter leurs marchandises sur l'Elbe sans avoir à payer de douane. En souvenir, Hambourg célèbre chaque année "l'anniversaire du port" durant le week-end qui suit le 7 mai. Il existe même un document concernant ce privilège, mais il ne provient pas de Barberousse. C'est un faux, fabriqué par les Hambourgeois une centaine d'années plus tard pour pouvoir prouver leur privilège par écrit et assurer ainsi leur position vis-à-vis de leurs voisins. Toutefois, l'immense essor commercial de Hambourg est sans aucun doute dû à sa situation géographique privilégiée, entre la Baltique et la Mer du Nord.
Hambourg deviendra la maîtresse incontestée de l'Elbe, de l'embouchure de l'Alster jusqu'à la mer du Nord grâce à un donjon sur l'île de Neuwerk (appartenant encore aujourd'hui à Hambourg, bien qu'éloignée de 100 km) et un fort près de Cuxhaven. Même des pirates aussi redoutés que le célèbre Claus Störtebeker et sa bande des "Frères Vitali" seront écrasés par la flotte de guerre hambourgeoise en 1401 et décapités sur le Grasbrook, une île située entre l'Elbe inférieure et l'Elbe supérieure.

von der hamburgischen Kriegsflotte 1401 vor Helgoland vernichtend geschlagen und auf dem Hamburger Grasbrook, einer Insel zwischen Norder- und Süderelbe, enthauptet. Nicht wahr ist allerdings, daß es dem Piratenanführer gelang, gemäß einer Absprache mit dem Hamburger Senat, all die seiner Brüder zu retten, an denen er ohne Kopf vorbeizugehen in der Lage gewesen wäre.

DIE FREIE UND HANSESTADT

Hamburg nennt sich noch heute "Freie und Hansestadt", weil es im 14. Jahrhundert in den mächtigen kaufmännischen Hansebund von rund 200 Städten zwischen Köln und Danzig hineingewachsen war. Schon bald allerdings machte Hamburg seine eigene "Weltpolitik". Um 1529 protestantisch geworden, war die Hansestadt während der Glaubenskämpfe des Dreißigjährigen Krieges ein neutraler Treffpunkt der verfeindeten Mächte. Ermöglicht wurde diese Unabhängigkeit vor allem durch den weitsichtigen Bau einer mächtigen Festungsanlage, deren Verlauf heute sehr gut am Straßenzug zwischen Millerntor, der Grünanlage Planten un Blomen und weiter zwischen Lombardsbrücke, Hauptbahnhof und Steintor nachzuvollziehen ist.
Durch die Ansiedlung von Glaubensflüchtlingen aus Holland sowie von Juden aus Spanien und Portugal, aber auch durch die Niederlassung englischer Kaufleute und den nach der Entdeckung Amerikas einsetzenden Welthandel wuchs in der Stadt eine sie heute noch prägende "multikulturelle" Liberalität. Kein höfischer Prunk, sondern protestantisch-pietistische Gelderwerbsmoral bestimmte das politische Leben der hanseatischen Republik, in der allerdings bis 1918 nur wenige grundbesitzende Familien das Sagen hatten.
Zwei große Prüfungen mußte Hamburg im vorigen Jahrhundert ertragen: Während der napoleonischen Kontinentalsperre und der französischen Besetzung von 1810-14 erlitt die Wirtschaft einen verheerenden Niedergang. Der Große Brand von 1842 vernichtete fast ein Drittel der Innenstadt. Doch die Industrialisierung Europas ließ die Elbmetropole zum Überseehafen des

Hamburg's Grasbrook, one of the islands created by the division of the Elbe into `Norderelbe' and `Süderelbe'. It's sheer legend, however, that the pirate king succeeded in persuading the Hamburg Senate to free all those companions he could manage to walk past after his decapitation.

HAMBURG – A FREE HANSEATIC TOWN.

Even today Hamburg describes itself as a Free Hanseatic Town. The name dates from the 14th century, when Hamburg belonged the Hanseatic League, a powerful trade federation whose members included about 200 towns between Cologne and Danzig. But Hamburg was soon to decide its own policies. Having adopted Protestantism in 1529, the city remained neutral territory for the warring parties during the fierce religious struggles known as the Thirty Years' War. This fortunate independence was largely due to the far-sighted building of immense fortifications, whose ramparts can still be traced along the semicircle of roads leading from Millerntor and over the Lombardsbrücke to the main station and Steintor.
The waves of refugees and emigrants who settled in Hamburg – Dutch Protestants fleeing persecution, Jews from Spain and Portugal, English merchants seeking their fortune – and the burgeoning international trade following the discovery of America all contributed to that liberal, multicultural tradition that has survived in Hamburg to this day. The political life of the Hanseatic republic was dictated not by inherited wealth but by the Protestant work ethic. Nevertheless, up to 1918 and the introduction of democracy, it was a mere handful of landowning families who wielded power here.
Hamburg was twice put to the trial in the last century. Napoleon's blockade and the French occupation from 1810-1814 devastated the economy. The Great Fire of 1842 destroyed almost a third of the city centre. Nevertheless, the population of Germany's `Gateway to the World' reached a million shortly before the 1914-18 war, for Hamburg rose to be the overseas port of the German Empire during the Industrial Revolution. Many of the buildings for which Hamburg is now

LA VILLE LIBRE HANSÉATIQUE

Hambourg se nomme encore aujourd'hui "ville libre hanséatique" parce qu'elle a appartenu à la Hanse, puissante ligue marchande fondée au 14e siècle qui regroupe 200 cités entre Cologne et Dantzig. Cependant, Hambourg fera bientôt sa propre "politique internationale". Devenue protestante en 1529, la ville hanséatique est un point de rencontre neutre pour les puissances ennemies durant les conflits religieux de la guerre de Trente ans. Cette indépendance sera acquise notamment grâce à la construction d'une puissante forteresse dont on peut encore très bien reconnaître le tracé entre Millerntor et le jardin public "Planten et Blomen" ainsi qu'entre le pont dit Lombardsbrücke, la Gare centrale et Steintor.
L'arrivée de Hollandais qui ont fui leur pays à cause de leur religion et de juifs d'Espagne et du Portugal ainsi que l'installation de commerçants anglais et le début du commerce mondial après la découverte de l'Amérique, vont créer une libéralité multiculturelle encore présente de nos jours dans la ville. Une solide morale protestante vouée à l'économie régit la vie politique de la République hanséatique où les grands propriétaires terriens n'auront guère à dire jusqu'en 1918.
Hambourg devra faire face à deux épreuves au siècle dernier: le blocus continental de Napoléon et l'occupation française de 1810-1814 vont gravement porter atteinte à son économie et le grand incendie de 1842 ravagera presque un tiers du centre ville. Mais la métropole sur l'Elbe deviendra bientôt le port international de l'Empire allemand avec l'industrialisation de l'Europe. La "Porte sur le monde" a déjà un million d'habitants juste avant que n'éclate la première guerre mondiale. C'est de cette époque que datent de nombreux édifices célèbres qu'il faut voir absolument: les entrepôts historiques, les immeubles du quartier des commerçants, l'hôtel de ville, la Bourse, les embarcadères de Saint Paul, le vieux tunnel sous l'Elbe, le Théâtre allemand (Deutsche Schauspielhaus) et les grands musées. Ils ont tous été épargnés durant les bombardements de 1943. Toutefois, il ne reste que peu d'édifices baroques pour témoigner d'un passé plus éloigné: les mai-

Deutschen Reichs werden. Das "Tor zur Welt" wurde kurz vor Ausbruch des Ersten Weltkrieges Millionenstadt. In dieser Zeit entstanden viele Bauten, für die Hamburg berühmt ist, und die es unbedingt zu entdecken gilt: Die historische Speicherstadt und das Kontorhausviertel, das Rathaus und die Börse, die St.Pauli-Landungsbrücken und der Alte Elbtunnel, das Deutsche Schauspielhaus und die großen Museen. Sie alle sind vom Feuersturm der Bombennächte von 1943 verschont geblieben. Aber viel mehr ist schließlich auch nicht übrig geblieben. Nur ganz wenige barocke Bauten, wie die Deichstraße, die Krameramtsstuben oder der "Michelturm", das Wahrzeichen der Stadt, zeugen von einer weiter zurück liegenden Vergangenheit.

HAMBURG WÄCHST WEITER

Hamburg ist komplett "runderneuert": Die noblen Viertel an der Elbchaussee und rund um den Alstersee in Eppendorf, Harvestehude oder Uhlenhorst präsentieren die Pracht einer Metropole mit den meisten Millionären der Welt, eines diplomatischen Zentrums mit den meisten konsularischen Vertretungen der Erde sowie einer boomenden Dienstleistungswirtschaft von Versicherungen, Banken, Handelsvertretungen und Medienbetrieben.
Hamburg wächst weiter. Mehr als 1,7 Millionen Einwohner zählt der immer noch gering besiedelte 755-Quadratkilometer-Stadtstaat. Zur Hälfte besteht er aus Grünflächen und Wasserwegen. Sein Containerhafen ist der zweitgrößte Europas, über 13.000 Seeschiffe laufen ihn jährlich an. Allein für den Hafen arbeiten bis zu 150.000 Hamburger.

WECHSELHAFTES WETTER

Vielleicht liegt die hanseatische Kühle am Klima. Aber Hamburgs Wetter ist nicht so schlecht wie sein Ruf. Immerhin scheint hier die Sonne übers Jahr genauso oft wie im Rheinland. Allerdings kann man das Klima an der Elbe, obwohl es immer wieder behauptet wird, nicht mit dem Wetter an der Isar vergleichen. Durchschnittlich 150 Sonnenstunden mehr hat der Deutsche Wetter-

famous were erected in this period, and they are well worth a visit: the old harbour quarters of the Speicherstadt and Kontorhausviertel, the Town Hall, the Exchange, the St Pauli landing-stages, the Old Elbe Tunnel, the Theatre and the great museums. All these survived the Allied bombing raids of 1943. Little else of historic Hamburg remains. Only a few Baroque buildings – Deichstrasse, the picturesque 17th century Krameramtsstuben and of course the Michelturm, Hamburg's best-known landmark – bear witness to the city's more distant past.

HAMBURG'S EXPANSION

Hamburg has undergone a complete renewal. The more exclusive districts on the Elbchaussee and around the Alstersee in Eppendorf, Harvestehude or Uhlenhorst give Hamburg the distinction of being a prosperous metropolis and diplomatic centre with more millionaires and more consulates than any other place on earth. There is also a booming services sector of insurances, banks, trade missions and media concerns. Hamburg is still growing. Yet the city-state, extending over 755 square kilometres, is not heavily populated despite its 1.7 million inhabitants. Half the area is given over to waterways and green spaces. The container port is the second largest in Europe and over 13,000 seagoing vessels dock there per year, providing employment for up to 150,000 people.

PROUD TRADITIONS

There are two sides to everything in this world, not excepting Hamburg's Town Hall, where Senate and Parliament sit in the two stricly divided halves of the government building and decide above all on the city's expenditure policy. Consensus is the order of the day. To the fourteen senators, the Mayor is only primus inter pares, the first among equals, and no measures are implemented without the assent of parliament. There's just one thing a proud mayor of Hamburg will never stoop to. He will neither greet his guests in the entrance of the Town Hall nor in the square outside, but only on the top step of

sons de la rue Deichstrasse, la Maison des Veuves de Merciers (Krameramtsstuben) et l'église Saint-Michel (Michaeliskirche), symbole de la ville.

HAMBOURG NE CESSE DE S'ACCROÎTRE

Les beaux quartiers de l'Elbchaussee et du lac d'Alster – Eppenhof, Harvestehude ou Uhlenhorst – évoquent la splendeur d'une ville qui a le plus grand nombre de consulats et d'habitants millionnaires du monde et un secteur économique (banques, assurances, entreprises commerciales et médias) en plein essor.
Hambourg ne cesse de croître. Plus de 1,7 million de personnes habitent aujourd'hui la Ville-Etat dont les 755 km² sont relativement peu peuplés. La moitié est constituée d'espaces verts et de cours d'eau. Son terminal à conteneurs est le deuxième d'Europe; 13 000 navires de haute mer y accostent chaque année. A lui seul, le port occupe 150 000 Hambourgeois.

UN CITOYEN DE HAMBOURG NE PLIE PAS LE GENOU DEVANT LE PAPE OU L'EMPEREUR

A l'hôtel de ville de Hambourg, le Sénat et le Parlement, strictement séparés l'un de l'autre, décident notamment des dépenses de la ville. L'un ne peut rien faire sans l'autre. Même le maire n'est que le "primus inter pares" parmi les 14 sénateurs. Et rien ne se passe sans l'acceptation des 121 parlementaires. Cependant, un maire de Hambourg ne s'abaissera jamais à accueillir ses invités devant l'hôtel de ville; il les reçoit en haut de l'escalier qui mène à la salle du Sénat. Une exception aurait été faite pour la reine Elisabeth II de Grande- Bretagne.
La fierté des Hambourgeois se manifeste de diverses façons. Porter des ordres et décorations relève du plus mauvais goût. Hugo Vogel, a également été obligé de changer un détail de sa peinture monumentale "l'évêque Ansgar bénit les premiers colons saxons" accrochée dans la grande salle de l'hôtel de ville. Un Saxon était agenouillé devant le missionnaire. L'artiste a dû repeindre son personnage debout car "un citoyen de Hambourg ne plie le genou ni devant un pape, ni devant un empereur".

dienst in seiner mehrjährigen Statistik für München berechnet. Auch mit dem Regen ist es so eine Sache. Nicht, daß er wegen der frischen Winde horizontal fällt und so nie ins Meßglas gelangt. Aber seine reine Menge ist geringer als erwartet. Es nieselt eben immer mal wieder, und wenn der Hamburger morgens bei "schönstem Mützenwetter" aus dem Haus geht, hat er manchmal bis zum Nachmittag mindestens drei Regen- und Graupelschauer, einen halben Orkan, vierzehn wolkige und siebzehn sonnige Viertelstunden erlebt.
"Hamburger", die berühmten amerikanischen Weichbrötchen mit der Hackfleischscheibe, sind übrigens mitnichten in Hamburg erfunden worden. Typisch für Hamburg sind neben einer ungeheuren Vielzahl von ausländischen Restaurants (die Renner sind momentan syrisch, südstaatenamerikanisch und japanisch, dazu gibt es am Hafen Dutzende preiswerter Portugiesen und Spanier) auch Matjesheringe, Aalsuppe, Labskaus, Pfannfisch (vor allem Rotbarsch, Seelachs und Scholle) und Rote Grütze. Dazu Austern, Hummer und Kaviar. Getrunken wird "Lütt un lütt", ein helles Hamburger Bier mit einem eiskalten, klaren Korn, aber auch kühles "Alsterwasser" aus Bier und Zitronenbrause und heißer Grog. Nach dem Motto "Rum muß, Zucker kann, Wasser ist nicht nötig". Wenn allerdings die Alster im Winter einmal zugefroren ist, wärmen sich die Hamburger auf dem Eis am liebsten mit Glühwein.

STADT MIT LEBENSQUALITÄT

Das Leben in Hamburg ist angenehm. Auch wenn die City wie jede Großstadt massige Häuserschluchten und gigantische Straßenkreuzungen hat, so gibt es doch einige Besonderheiten, die hervorzuheben wären. Da sind zuerst der große Alstersee, der bereits seit dem Mittelalter am Jungfernstieg aufgestaut wurde, und die grünen Kanäle, die die Stadt zwischen Poppenbüttel und Billbrook durchziehen. Wer mit den weißen Alsterdampfern von einem Biergarten zum anderen schippert, sieht den zweiten Trumpf: Er sieht nichts, beziehungsweise wenig außer Bäume. Hamburgs Innenstadt hat ein durchweg sechs

the entrance to the Senate. A sole exception to this rule was supposedly prompted by the visit of Queen Elizabeth II.

WEATHER FORECAST- VARIABLE

Perhaps one can attribute the coolness of the people of Hamburg to their weather – which is not really as bad as it is reputed to be. On a yearly average the hours of sunshine equal those of the Rhineland. But nevertheless, the climate bears no comparison with Munich, which according to the German Meteorological Office boasts a long-term average of over 150 hours of sunshine more than Hamburg. And the rainfall is less than you would expect – there's no need to distrust the official figures and suspect that Hamburg's rain gets blown horizontally and thus never falls into the measuring glass. Drizzle – well now, there's a lot of that. Changeable is the word. When the natives wrap up warm and leave for work they might see three showers of rain and hail, a minor hurricane, fourteen quarter-hours of cloud and seventeen of sunshine before the afternoon is out.
Hamburgers of the edible variety were not, it must be stressed, invented in Hamburg. Foreign restaurants are popular, and there are uncountable numbers of these. Currently fashionable are Syrian, South American and Japanese, while the harbours offer inexpensive Portuguese and Spanish food. Local dishes include matjes herring, eel soup, labskaus (from which derives the Liverpool word Scouse) and fried fish, preferably rock salmon or plaice, followed by Rote Grütze, a compôte of berries. Oysters, lobsters and caviar are also acceptable. As for drinks there is Lütt un lütt, a light local beer accompanied by a chaser of clear schnapps, a glass of chilled Alsterwasser (shandy) and of course the mixture of rum (compulsory), sugar (possible) and hot water (voluntary) known as grog. In winter, when the Alster is frozen, the favourite drink is mulled wine.

THE GOOD LIFE

It's a pleasant life in Hamburg. If it has its fair share of heavily built-up areas and mind-boggling

UN CLIMAT CHANGEANT

Le climat de Hambourg n'est pas aussi mauvais que sa réputation. D'abord, le soleil y brille autant qu'en Rhénanie. Quant à la pluie, s'il est difficile d'en mesurer la quantité exacte parce qu'elle tombe à l'horizontal à cause des vents, il y en a moins qu'on ne le prétend. Il bruine certes assez souvent et quand le Hambourgeois quitte sa maison le matin par temps splendide, il aura parfois dans une après-midi, trois averses, un petit orage, 14 quarts d'heure de temps couvert, mais aussi 17 quarts d'heure de temps ensoleillé.

UNE CUISINE COSMOPOLITE

D'abord, ce n'est pas à Hambourg que le "hamburger", célèbre plat national américain, a été créé. Outre les innombrables restaurants de cuisine étrangère (les syriens, latino-américains et japonais sont très en vogue en ce moment) et les douzaines d'espagnols et portugais bon marché sur le port, on peut déguster les spécialités de la région: harengs, soupe d'anguille, poissons grillés, mais aussi huîtres, homard et caviar. On boit du "Lütt un Lütt", une bière fraîche du pays accompagnée d'un "Korn", (eau-de-vie), un "Alsterwasser", panaché de bière et limonade et en hiver, un "Glühwein" (vin chaud) ou un grog préparé selon la devise: "il faut du rhum, peut-être du sucre, l'eau n'est pas nécessaire".

UNE VILLE OÙ IL FAIT BON VIVRE

Hambourg a certes la physionomie d'une métropole avec de vastes quartiers d'immeubles modernes et de grands carrefours, mais elle possède un cachet unique grâce au lac d'Alster créé au Moyen Age et aux canaux (Fleete) qui sillonnent la ville entre Poppenbüttel et Billbrook. Un autre de ses atouts se découvre à bord des bateaux à vapeur blancs de l'Alster: on ne voit pratiquement qu'un paysage de verdure qui cache les immeubles du centre ville d'une hauteur moyenne de six étages. 200 000 arbres bordant les rues et plus de 100 parcs publics font de Hambourg une ville verte.

Stockwerke hohes, menschliches Maß. Über 100 öffentliche Parks und 200.000 Straßenbäume versorgen die Bürger mit Grün.

Die Seele baumeln lassen kann man aber nicht nur an grünen Wasserläufen. Das Angebot von Musik, Theater und Kunst kann sich sehen lassen. Es war nicht immer so. Hamburgs Oper ist zwar die Älteste Deutschlands, aber die protestantischen Pfarrer und Kaufleute sind nur sehr schwer zu überzeugen gewesen, daß "Augen- und Ohrenlust" dem Christenmenschen nützlich ist. Was hätten sie wohl zu Gustav Mahler und den Beatles, zu Emil Nolde und Joseph Beuys oder gar zu den Theaterberserkern Werner Schwab und Frank Castorf gesagt? Nun ja, die staatlichen Sprechbühnen Deutsches Schauspielhaus und Thalia Theater sind jüngst mehrfach von der Mehrheit aller deutschsprachigen Kritiker zu "Theatern des Jahres" gewählt worden. Und nachdem "Cats" 1986 auf der Reeperbahn startete, erlebte Hamburg einen Musical-Boom ohnegleichen. Das "Phantom der Oper" und das riesige "Buddy-Holly-Story"-Theater im Hafen zogen im Verlauf der Jahre hunderte junger Tanz- und Gesangskünstler an die Elbe, die jetzt jährlich mindestens 30 Musicals produzieren – im Schmidts Tivoli, im Imperial-Theater, im St.Pauli-Theater und vielen anderen.

Wer Spaß an der Kunst hat und gut zu Fuß ist, für den ist die Museumsmeile zwischen Alster und Oberhafen, zwischen Kunsthalle und Deichtorhallen, gemacht. Ob Caspar David Friedrichs "Wanderer über dem Nebelmeer", Edouard Manets "Nana" oder "Ready Mades" von Marcel Duchamp, in Hamburg sind die Klassiker der Kunstgeschichte nahezu lückenlos vorzufinden. Max Liebermann, Lovis Corinth, Oskar Kokoschka und viele andere haben die Alster und die Elbe gemalt. Sie standen am Hafen, sahen die Schiffe aus aller Welt und haben das Fernweh verspürt. Sie haben, wie der Dichter Heinrich Heine, am Jungfernstieg das schöne Hamburg und die hübschen Hamburgerinnen bewundert. Und wir hoffen, daß auch Sie, lieber Leser, beim Betrachten der Bilder dieses farbigen Hamburg-Bandes das Fernweh verspüren und die Wohlgestalt der Hansestadt schätzen lernen.

traffic junctions, the metropolis also has its distinctive charms. There is the Alstersee, a lake that was dammed up along the present Jungfernstieg in the Middle Ages. There are the green canals that run through the city between Poppenbüttel and Billbrook. Take one of the white Alster ferries for a tour of the beer gardens for a further bonus – you will see nothing, that is, nothing much apart from trees. Hamburg's city centre is charitable by nature and avoids high-rise blocks. Over 100 public parks and 200,000 roadside trees keep life green for the inhabitants.

There are other ways to let yourself go besides contemplating the serene waterways. Hamburg offers a respectable range of music, drama and art, although this was not always so. Germany's oldest opera house stands here, but at one time it was not easy to convince the city's rigidly puritanical ministers and merchants that Christianity and the arts were compatible. What would they have felt about Mahler, the Beatles, Emil Nolde and Josef Beuys, or about Hamburg's preposterous theatrical experiments? The State Theatre and the Thalia theatre have several times been voted theatres of the year by the German critics. And after `Cats' opened on the Reeperbahn, an unrivalled musical boom hit Hamburg. Over the past years `Phantom of the Opera' and the `Buddy Holly Story' have drawn hundreds of young performers to the area, which now stages at least 30 musicals a year.

Energetic art lovers make straight for the `Museum Mile', whose museums house such classic works of art as C.D.Friedrich's `Wanderer über den Nebelmeer', Manet's `Nana' and Duchamp's Ready-Mades. Max Liebermann, Lovis Corinth, Oskar Kokoschka and many others came to Hamburg to paint the Elbe. They gazed over the harbour, gripped by wanderlust at the sight of ships from all over the world, and stood at the Jungfernstieg, delighting in the attractive city of Hamburg and its pretty girls. We hope that some of their wanderlust and admiration will be conveyed anew to you, the reader, by this book – a homage to a great city.

Hambourg est également une ville culturelle où la musique, le théâtre et l'art jouent un rôle important. Cela n'a pas toujours été ainsi. L'Opéra de Hambourg est certes le plus ancien d'Allemagne, mais il ne fut pas facile de persuader les pasteurs et commerçants protestants que les "plaisirs de la musique et du théâtre" pouvaient être utiles à un bon Chrétien. Qu'auraient-ils pensé de la musique de Gustav Mahler ou des Beatles, de la peinture d'Emil Nolde ou de Joseph Beuys et du théâtre extravagant de Werner Schwab et Frank Castorf? Toujours est-il que les critiques allemands ont récemment couronné le théâtre Thalia et le théâtre national "Théâtres de l'année". La ville a aussi vécu un véritable boom du music-hall après la représentation de "Cats" en 1986. Au cours des années, le "Fantôme de l'opéra" et l'énorme production "L'histoire de Buddy Holly" ont attiré des centaines de jeunes danseurs et chanteurs qui présentent au moins 30 musicals par an – entre autres au Schmidts Tivoli, au Théâtre impérial et au Théâtre St Paul.

S'ils aiment la marche à pied, les amateurs d'art suivront le "trajet des musées" entre l'Alster et l'Oberhafen (Port Haut). De la Kunsthalle (Palais des arts) aux salles d'expositions des Deichtorhallen, ils découvriront un grand nombre de classiques de l'histoire de l'art tels que "Le randonneur dans la mer de nuages" de Caspar David Friedrich, "Nana" de Manet ou "Ready Mades" de Marcel Duchamp.

Max Liebermann, Lovis Corinth, Oskar Kokoschka et bien d'autres encore ont peint l'Alster et l'Elbe. Ils ont dressé leur chevalet sur le port, regardé partir les bateaux et senti la nostalgie des pays lointains. A l'instar du poète Heinrich Heine, ils ont admiré la beauté de la ville et celle des Hambourgeoises. Nous espérons qu'en regardant les images de ce livre, vous découvrirez aussi, chers lecteurs, l'atmosphère unique de cette belle ville hanséatique.

CAP SAN DIEGO
HAFENTOR

Rathaus von den Alsterarkaden gesehen / Town Hall / Hôtel de ville

Der Rathausmarkt ist das Zentrum der Innenstadt. Durch die Alsterarkaden sieht man über die Kleine Alster auf das 1897 im Neo-Renaissancestil errichtete Rathaus der Freien und Hansestadt Hamburg. Wegen des morastigen Untergrundes ist es auf 4.000 Holzpfählen erbaut. Sein 112 Meter hoher Turm bestimmt mit den fünf Türmen der Hauptkirchen die Silhouette der Hansestadt. Mit 647 Räumen hat das Hamburger Rathaus mehr Zimmer als der Buckinghampalast.

The Town Hall square, known as the Rathausmarkt, stands at the heart of the inner city. Through the Alster arcades there is a view over the waters of the Kleine Alster to Hamburg's imposing Town Hall, erected in 1897 in neo-Renaissance style. Because of the marshy ground, it stands on foundations supported by 4000 wooden piles. Its tower, 112 metres high, joins the five towers of the city's main churches to give Hamburg its characteristic skyline. The Town Hall itself has 647 rooms, more than there are in Buckingham Palace.

Le Rathausmarkt (place de l'hôtel de ville) est le cœur du centre ville. Au-delà de la Kleine Alster (rivière), on découvre l'hôtel de ville érigé en 1897 à travers les arcades d'Alster. L'édifice de style néo-Renaissance est bâti sur 4000 pilotis de bois en raison du sol meuble. Avec les clochers des cinq églises principales, sa tour haute de 112 mètres domine la physionomie de la ville hanséatique. L'hôtel de ville comprend 647 salles, davantage que le palais de Buckingham à Londres.

Das Rathaus ist Sitz von Senat und Bürgerschaft, der Regierung und des Parlaments des Bundeslandes Hamburg. Im 15 Meter hohen, reich mit Marmor und Bronze ausgestatteten Rathaus-Festsaal empfängt die Stadt hohen Besuch - so zum Beispiel Prinz Charles und Lady Diana. Die fünf 1909 von Hugo Vogel gemalten kolossalen Wandgemälde stellen die Stadtentwicklung dar: Die Urlandschaft, die erste Besiedelung, die Bekehrung der heidnischen Sachsen, Handel und Schiffahrt im Mittelalter und den Hafen um 1900. Das Rathaus kann besichtigt werden.

The Town Hall is the seat of government, whose elected representatives rule the city-state of Hamburg. In the 15 m. high banqueting hall, lavishly decorated in marble and bronze, Hamburg receives prominent guests - Prince Charles and Lady Diana, for instance. The five huge panels painted by Hugo Vogel in 1909 portray various stages in the development of the city: the prehistoric site, the early settlement, the conversion of the heathen Saxons, medieval trade and shipping and a view of the harbour in 1900. The Town Hall is open to the public.

L'hôtel de ville est le siège du Sénat et du Parlement, le gouvernement et le parlement de la ville-Etat de Hambourg. Les visiteurs de marque - comme le prince Charles et Lady Diana sont reçus dans la Salle des Fêtes haute de 15 mètres, décorée de marbre et de bronze. Les cinq tableaux monumentaux peints par Hugo Vogel en 1909, évoquent le développement de la ville: le paysage d'origine, le premier village, la conversion des Saxons païens, le commerce et la navigation, le port en 1900. L'édifice est ouvert au public.

Das Deutsche Schauspielhaus ist als eines von drei staatlichen Theatern jungen Autoren und Regisseuren verpflichtet und hat riesigen Erfolg bei der Kritik. Ebenso wie das Thalia Theater wurde es zum besten Theater des deutschsprachigen Raums gewählt. Rund 40 Theater gibt es in Hamburg, darunter die über 300 Jahre alte Oper mit John Neumeiers Ballettcompagnie, die schrillen Schmidt-Bühnen mit ihrer bunten Mischung aus Varieté, Kabarett und Musicals, das St. Pauli-Theater, das Ohnsorg-Theater und viele, viele andere.

The Deutsche Schauspielhaus, as one of Hamburg's three state theatres, devotes itself to the work of young authors and producers and has received much critical acclaim. Together with Hamburg's Thalia Theatre, it has been voted Best Theatre of the German-speaking countries. There are about forty theatres in Hamburg, including the 300-year-old opera house, which also houses John Neumeier's ballet company, the strident Schmidt-Bühnen with their colourful mixture of variety, cabaret and musicals, the St Pauli theatre and the Ohnsorg theatre.

Le Théâtre allemand, un des trois théâtres nationaux, est le fief des jeunes réalisateurs et comédiens et a un succès immense auprès des critiques. Avec le théâtre Thalia, il a été couronné "meilleur théâtre" d'Allemagne. Hambourg possède environ 40 salles de spectacle dont l'Opéra de 300 ans avec la compagnie de ballet de John Neumeier, le théâtre Schmidt qui offre un mélange de cabaret, variétés et music-hall, le théâtre Saint-Paul, le théâtre Ohnsorg et bien d'autres encore.

Hamburg ist die deutsche Musicalmetropole Nummer 1, und der Zustrom der Besucher reißt nicht ab. Seit 1986 läuft "Cats" im Operettenhaus am Hamburger Millerntor vor 1.100 Zuschauern. Für das "Phantom der Oper" wurde 1990 mit der "Neuen Flora" ein neues Theater geschaffen - mit 2.000 Plätzen das größte Europas! Und durch die neuen Rock'n Roll-Musicals "Buddy – Die Buddy-Holly-Story" und "Grease" kommen seit 1994 täglich 1.450 und 300 Plätze im Neuen Metropol Musiktheater im Hafen und im Imperial–Theater an der Reeperbahn hinzu.

Hamburg is Germany's leading musical metropolis and the flood of visitors shows no sign of diminishing. At the Operettenhaus, `Cats' has been running to an audience of 1,100 since 1986. In 1990 a new auditorium was built to accommodate `Phantom of the Opera'. Named Neue Flora, it seats 2,000 and is Europe's biggest theatre. As for Rock musicals, `The Buddy Holly Story' plays daily to a audience of 1450 at the Neue Metropol on the harbour, while no more that 300 at a time can pack in to see `Grease' in the Reeperbahn's Imperial Theatre.

Hambourg est la métropole allemande des spectacles de music-hall. "Cats" est joué depuis 1986 à l'Operettenhaus, une salle de 1100 places. Un nouveau théâtre, la "Nouvelle Flora", le plus grand d'Europe avec 2000 places a été construit en 1990 pour la représentation du "Fantôme de l'opéra". Depuis 1994, les music-halls: "Histoire de Buddy Holly" et "Grease" attirent tous les jours respectivement 1450 et 300 spectateurs au Nouveau Métropole sur le port et au Théâtre Impérial dans la rue dite Reeperbahn.

Die weißen Alsterarkaden verbinden Jungfernstieg und Rathausmarkt. Der 1843 von Alexis de Chateauneuf in Anlehnung an den venezianischen Markusplatz erbaute Bogengang ist heute eine der zwölf beliebten Einkaufsgalerien der City. Durch die jüngst neueröffnete Mellin-Passage führt ein Weg zur Möbel- und Modemeile Neuer Wall. Die Schleuse zum Alsterfleet hält die Gezeiten der Elbe zurück. An dieser Stelle wurde bereits im Mittelalter die Alster aufgestaut, um damit Mühlen zu betreiben.

The white Alster Arcades run between the Jungfernstieg and the Town Hall square. Built by Alexis de Chateauneuf in 1843 and modelled on St Mark's Square in Venice, today they count as one of the twelve popular shopping arcades in the city centre. Walk through the newly-opened Mellin Passage and you reach Neuer Wall, the home of furniture and fashion shops. The Alsterfleet lock halts the tides that daily come ripping down the Elbe. As far back as medieval times, the Alster was dammed at this point so that its waters could drive the mills.

Les arcades blanches des Alsterarkaden relient la rue dite Jungfernstieg et la place de l'Hôtel de Ville. Les portiques bâtis en 1843 par Alexis de Chateauneuf sur le modèle de la place Saint Marc à Venise, sont une des douze galeries marchandes de la ville. Ouvert récemment, le Passage Mellin conduit au Neuer Wall, bordé de magasins élégants. Les écluses de la Petite Alster arrêtent les marées de l'Elbe. Déjà au Moyen Age, on retenait les eaux de l'Alster à cet endroit pour faire marcher les moulins.

Ein Trümmerhaufen war Hamburgs Neustadt nach dem letzten Krieg. Das gab die Möglichkeit, eine sechsspurige Querverbindung zwischen dem östlichen St.Georg und dem westlichen St.Pauli zu erbauen. An der Ost-West-Straße (vom Rödingsmarkt bis zum Millerntor heißt sie jetzt Ludwig-Erhard-Straße) stehen viele Bürohäuser aus den sechziger Jahren, aber auch die denkmalsgeschützte Ruine der Hauptkirche St. Nikolai und die Hauptkirche St.Michaelis. Die größte Barockkirche Norddeutschlands ist das Wahrzeichen der Hansestadt.

The centre of Hamburg was reduced to ruins by the end of the last war. The devastation provided a unique opportunity to build a new six-lane highway from St Georg to St Pauli, linking east and west. This road (known as Ludwig-Erhard-Strasse between Rödingsmarkt and Millerntor) is lined by office blocks from the sixties, but there are also historical monuments like the ruined church of St Nikolai and the city's most important ecclesiastical building: St Michaelis, North Germany's largest Baroque church and Hamburg's best-known landmark.

Le quartier de Neustadt n'étant plus que ruines après la dernière guerre, on construisit une route à six voies entre St Georges à l'est et St Paul à l'ouest. La Ost-West-Strasse (qui s'appelle Ludwig-Erhard-Strasse entre le Rödingsmarkt et Millerntor) est bordée de nombreux immeubles de bureaux, bâtis dans les années soixante, mais aussi des vestiges de l'église Saint-Nicolas, monument protégé, et de l'église Saint-Michel. La "Michaeliskirche" est la plus grande église baroque du nord de l'Allemagne.

Krameramtsstuben und St. Michaelis

Ein idyllisches Stückchen Alt-Hamburg ist mit den Krameramtsstuben am Krayenkamp erhalten geblieben. Im Jahre 1776 erwarb das Krameramt (Zunft der Krämer) das Grundstück unterhalb des "Michels". Zwei eng aneinander gebaute zweistöckige Fachwerkzeilen waren für die Witwen verstorbener Amtsbrüder bestimmt. Heute erhält das Museum für Hamburgische Geschichte hier eine historisch eingerichtete Witwenwohnung. Ferner gibt es jetzt ein gemütliches Restaurant im alt-hamburgischen Stil, ein Weinkontor, eine Kunstgalerie und ein Antiquariat.

Krameramtsstuben and St Michaelis

A idyllic corner of Old Hamburg is to be found in the Krameramtsstuben. In 1776 the Guild of Grocers bought a plot of land in the shadow of the `Michel' (the tower of St Michaelis church). Here they erected a double row of half-timbered, two-storey houses designed especially for the widows of guild members. The Museum of Local History has provided one of the dwellings with original furnishings and opened it to the public. The narrow lane also houses a traditional Hamburg restaurant, a wine-shop, an art gallery and an antiquarian bookshop.

Krameramtsstuben et Saint- Michel

Le vieil Hambourg a conservé un endroit idyllique avec les Krameramtsstuben situé au Krayenkamp. En 1776, la Guilde des Merciers acheta le terrain derrière Saint-Michel pour y loger les veuves des membres de la corporation. Les deux maisons à colombages abritent aujourd'hui un logement de veuve historique, faisant partie du musée historique de la ville de Hambourg. On y trouve également un restaurant décoré dans le style ancien de la ville, un marchand de vins, une galerie d'art et une bouquinerie.

Kirche und Turm der St. Michaeliskirche wurden 1750 bis 1786 von Prey und Sonnin erbaut. Der bis zu 3.000 Zuhörer fassende, 27 Meter hohe, weiß und golden ausgestaltete Innenraum ist oft Schauplatz großartiger Konzerte. So zum Beispiel Johann Sebastian Bachs Weihnachtsoratorium, gesungen vom St.Michaelis-Chor. Täglich um 12 Uhr findet eine kurze Orgelandacht statt. In der Unterkirche, der Krypta, ist sein Sohn Carl Philipp Emmanuel Bach beigesetzt, der hier Organist war. Zu sehen ist hier auch eine Ausstellung zur Kirchengeschichte.

The church and tower of St Michaelis were built by Prey and Sonnin between the years 1750 and 1786. The interior is 27 m. high with sumptuous white and gold ornamentation. There is a daily midday service. As the church can hold up to 3000 people it is often used to stage large-scale musical events. One such popular concert is J.S. Bach's Christmas Oratorio, sung by the St Michaelis choir. Bach's most famous son, Carl Philipp Emanuel Bach, was organist here and lies buried in the crypt. An exhibition also illustrates the history of the church.

Prey et Sonnin bâtirent l'église Saint-Michel entre 1750 et 1786. L'intérieur haut de 27 mètres et décoré en blanc et or, peut accueillir 3000 personnes. Des concerts y ont souvent lieu comme celui de l'oratorio de Noël de Jean Sébastien Bach, chanté par le chœur Saint-Michel. Un petit concert d'orgues est donné tous les jours, à midi. Carl Philipp Bach, le fils du grand compositeur, était organiste de l'église. Son tombeau se trouve dans la crypte. L'édifice abrite également une exposition qui évoque l'histoire de l'église.

Hanse-Viertel /Gänsemarktpassage

Hamburgs beliebteste Einkaufspassage, das glasgedeckte Hanse-Viertel zwischen Große Bleichen und Poststraße, hat Anschluß an gleich ein Dutzend weiterer leuchtender Ladenarkaden und -galerien. So kann man auch bei Regen trockenen Fußes von den Colonnaden und Gänsemarktpassagen zu Bleichenhof, Kaufmannshaus, Galleria oder Alter Post spazieren gehen. Ihr besonderer Reiz ist die bunte Mischung kleiner, feiner und charmanter Geschäfte, Cafés und Restaurants. Hamburger stellen sich hier gern auf ein Glas Champagner mit frischem Hummer ein.

Hanse-Viertel /Gänsemarkt passage

Hamburg's favourite shopping arcade is the glass-roofed Hanse-Viertel. Set between Grosse Bleichen and Poststrasse, it branches off into a dozen other attractively-lit arcades and galleries. When it rains, you can start at the Colonnaden and Gänsemarkt and keep your feet dry right through to the Bleichenhof, Kaufmannshaus, Galleria or Alter Post. The colourful mixture of small, elegant and charming shops, cafes and restaurants makes the area especially inviting - a favourite spot for locals to sample fresh lobster with a glass of champagne.

Hanse-Viertel et passage du Gänsemarkt

Le passage commerçant favori des Hambourgeois est le Hanse-Viertel au toit vitré, situé entre les rues Grosse Bleichen et Poststrasse. Il s'ouvre sur une douzaine d'autres galeries bordées de magasins. Par temps pluvieux, on peut ainsi flâner du Gänsemarkt aux galeries Bleichenhof, Kaufmannshaus, Galleria ou Alter Post. Le mélange coloré de magasins, cafés et restaurants fait tout le charme de ce quartier. Les Hambourgeois s'y rencontrent volontiers pour déguster du homard accompagné de champagne.

Hartig
G-M 1
TOP MODE
FÜR IHN
Nicolas Scholz
Mode für Männer
Schrift+FORM
Ihr
HAUSHALTS-SERVICE
TE - Junior
Am besten
Sie testen
BLEIFREI
BATANI
NEWS
venice
BUCHHANDLUNG
AN DER STAATSOPER
Bettina
TE1

Der 1968 eröffnete Fernsehturm hat eine Gesamthöhe von 280 Metern. Nur 25 Sekunden benötigt der Fahrstuhl bis zum Drehrestaurant in 132 Meter Höhe. In einer Stunde kann man sich so einmal um ganz Hamburg drehen lassen. Dabei sieht man natürlich auch das CCH - Congress Centrum Hamburg mit seinem anliegenden Dammtorbahnhof und die Außenalster. Im Freizeitpark "Planten un Blomen" (plattdeutsch für Pflanzen und Blumen) finden im Sommer an jedem Abend bunte Wasserlichtkonzerte statt.

The telecommunications tower, opened in 1968, is 280 m. high. It takes only 25 seconds for the lift to cover the 132 m. up to the revolving restaurant. The restaurant makes a complete revolution every hour, affording a panorama of all Hamburg. The view naturally takes in prominent landmarks like the CCH (Hamburg's conference centre), the elegant Art Nouveau Dammtor Station and the lake of Aussenalster. – In the Planten en Blomen park (the name is local dialect for `plants and flowers') the fountains are illuminated on summer evenings.

La Tour de la Télévision, érigée en 1968, a une hauteur de 280 mètres. L'ascenseur conduit en 25 secondes au restaurant tournant situé à 132 mètres de haut. On peut ainsi faire le tour de Hambourg en une heure et admirer au passage le Centre des Congrès avec la gare Dammtor adjacente et le quartier de l'Alster extérieure. Tous les soirs en été, des concerts et jeux de lumière ont lieu dans le parc de loisirs "Planten un Blomen" (plantes et fleurs en allemand populaire).

Mehr als 2100 Tiere gibts im berühmten Hagenbecks Tierpark zu sehen. Carl Hagenbeck hat bereits 1848 zum ersten Mal Seehunde an der Reeperbahn ausgestellt. Die heutige Löwenschlucht war einstmals die erste gitterlose Raubtierfreianlage der Welt. Für viele steht das Troparium mit Haien und Muränen, Korallen und Seepferdchen, Piranhas, Alligatoren und Würgeschlangen an erster Stelle. Aber auch die Fütterung der Walrosse und der tapsigen Elefantenkinder oder die spritzige Show im Delphinarium macht jung und alt Freude.

There are more than 2100 animals in the famous Hagenbeck zoo. Carl Hagenbeck exhibited seals on Hamburg's Reeperbahn for the first time in 1848. The lions' tract was once remarkable as being the first unfenced enclosure for lions in the world. One of the zoo's biggest attractions is the `Troparium', with its sharks and moray eels, corals and sea-horses, piranhas, alligators and anacondas. And both young and old enjoy the sight of the walrusses at feeding time, the baby elephants lumbering along and the breathtaking dolphin show.

Le célèbre jardin zoologique Hagenbeck abrite plus de 2100 animaux. En 1848, Carl Hagenbeck montrait déjà des phoques sur la Reeperbahn. La fosse aux lions est le premier aménagement dans un zoo au monde où des animaux sauvages ne vivaient pas en cage. Une des attractions principales est le Troparium avec des requins, des murènes, des coraux, des hippocampes, des piranhas et des alligators. Mais le repas des morses, les bébés éléphants et les spectacles du Delphinarium font aussi la joie des petits et des grands.

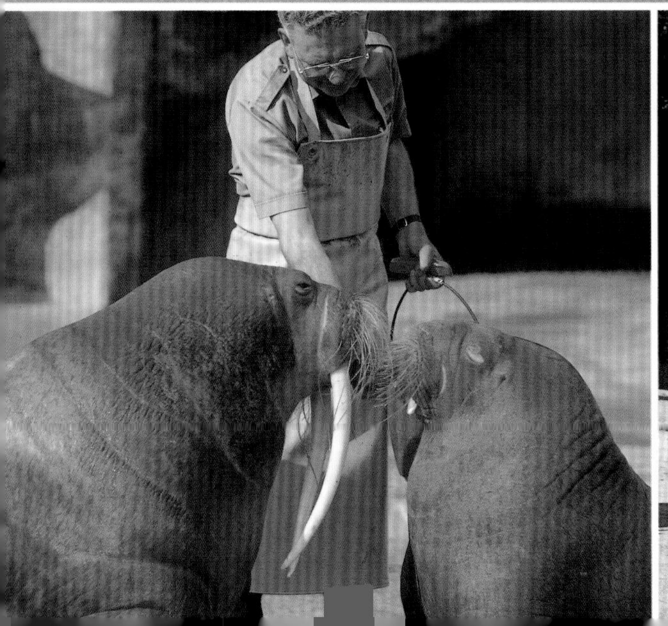

An Hamburgs exklusivstem Einkaufsboulevard konkurrieren zahlreiche Juweliere um zahlungskräftiges Publikum. Gegenüber dem Warenhaus "Alsterhaus" und dem Uraufführungskino Streit's befindet sich der Anleger der Alsterdampfer und der berühmte Alsterpavillon. Darunter, in 22 m Tiefe unter der Binnenalster, befindet sich Hamburgs größter Schnellbahnknoten. An der Einmündung der Colonnaden, am Neuen Jungfernstieg, stehen das Hotel Vier Jahreszeiten, eines der besten Hotels der Welt, und der renommierte Überseeclub.

A well-heeled public frequents Hamburg's most exclusive shopping boulevard where countless jewellers' shops compete for customers' attention. Just opposite the Alsterhaus department store and Streit's cinema is the well-known Alster Pavilion and the landing-stage for the Alster steamers. Below the Binnenalster, at a depth of 22 m., is Hamburg's largest local railway junction. On the Neue Jungfernstieg stands the renowned `Überseeclub' (Overseas Club) and the `Vier Jahreszeiten' Hotel, reckoned to be one of the best hotels in the world.

Bordé de magasins luxueux, le Jungfernstieg est la rue la plus exclusive de Hambourg. L'embarcadère des bateaux à vapeur de l'Alster et le célèbre Pavillon Alster sont situés en face du grand magasin "Alsterhaus" et du cinéma Streit's où ont lieu les premières. A 22 mètres de profondeur sous le lac dit Binnenalster, se trouve le plus grand nœud de lignes de métro de Hambourg. L'hôtel Vier Jahreszeiten, un des plus beaux palaces du monde et le célèbre club Überseeclub se dressent au Neuer Jungfernstieg.

Die schönsten Stadtteile Hamburgs liegen an der citynahen Außenalster. Dieser See wurde um 1200 am Jungfernstieg aufgestaut und hat eine Fläche von der Größe des Fürstentums Monaco. Von den Stadtteilen Harvestehude, Winterhude oder Eppendorf kann man, wenn man etwas Zeit hat, mit den weißen Alsterdampfern zur Arbeit in die Innenstadt fahren. Der Alsterpark am Harvestehuder Weg ist der populärste Spazierweg der Hamburger. Hier sind auch besonders viele Konsulate angesiedelt. Hamburg ist noch vor New York die Stadt mit den meisten konsularischen Vertretungen der Welt.

Hamburg's most pleasant districts are to be found on the man-made Aussenalster lake, near the city centre. The Jungfernstieg marks the site of the original dam, built in 1200 to create a sheet of water the size of Monaco. For those who live in Harvestehude, Winterhude or Eppendorf, the white Alster steamers provide a leisurely way to travel to work. The Alster Park is Hamburg's most popular place for a stroll. There are a large number of consulates here, and Hamburg beats New York in having more consulates than any other city in the world.

Les quartiers élégants de Hambourg s'étendent autour de l'Aussenalster. Le lac créé vers 1200, a la même superficie que la principauté de Monaco. Les habitants des quartiers Harvestehude, Winterhude et Eppendorf peuvent se rendre au centre ville en bateau à vapeur. Le parc Alster au Harvestehuder Weg est un lieu de promenade favori des Hambourgeois. L'endroit est également un quartier diplomatique. Hambourg est, avant New York, la ville au monde ayant le plus grand nombre de consulats.

Hamburger sind begeisterte Segler. Rund um die Außenalster liegen renommierte Segelclubs, aber auch zahlreiche Segelschulen und Bootsverleihe. Hier braucht man keinen Segelschein. Wer mit den böigen Winden nicht klarkommt, mietet sich halt ein Ruder- oder Tretboot. Oder man benutzt die sogenannte "Kreuzfahrt" mit dem Alsterdampfer zum vergnüglichen Hin- und Herschippern von einem Altercafé zum anderen, so etwa von Bodos Bootssteg, zu Fiedler's, Bobby Reich oder zum Café Leinpfad.

The people of Hamburg love yachting. Along the shores of the Alster there are not only a number of well-known sailing clubs but also numerous sailing schools and boatyards with yachts for hire. A sailing certificate is not required. Anyone who has reservations about the lake's gusty breezes can simply hire a rowing boat or pedal boat instead. Even less energy is needed if you board the Alster steamers which cruise unhurriedly from one waterside cafe to the next: for instance Bodo's Bootsteg, Fiedler's, Bobby Reich and Cafe Leinpfad.

Les Hambourgeois sont de grands amateurs de voile. Le lac est entouré de clubs nautiques réputés, de nombreuses écoles de voile et de locations de bateaux. Ici, on peut faire de la voile sans licence, mais si l'on ne sait pas maîtriser le vent, on peut tout simplement louer une barque ou un pédalo. Une alternative très plaisante est une "croisière" sur un bateau à vapeur qui accoste devant des cafés sympathiques tels que Bodos Bootsteg, Fiedler, Bobby Reich et le Café Leinpfad.

Das Hotel Atlantic an der Außenalster wurde zur Jahrhundertwende für Auswanderer gebaut, die auf dem Weg nach Amerika in Hamburg auf ihre Einschiffung warteten. Der Straßenzug "An der Alster" verbindet den Stadtteil St.Georg über die Kennedybrücke und die Lombardsbrücke (rechts) mit Eimsbüttel. An dieser Stelle befand sich seit dem Dreißigjährigen Krieg eine Bastion des Stadtwalls, auf der heute die Kunsthalle und der Hauptbahnhof stehen.

Hotel Atlantic on the Aussenalster was built at the turn of the century to accommodate emigrants to America waiting to board ship at Hamburg docks. The street named `An der Alster' runs along the shore of the Aussenalster, linking the districts of St Georg and Rotherbaum via the Kennedy Bridge and Lombardsbrücke (rt.). South of the bridges there once stood huge ramparts which formed part of the town's fortifications during and after the Thirty Years' War. Today the site is occupied by a city art gallery (the Kunsthalle) and the main station.

L'hôtel Atlantic au bord du lac a été construit au tournant du siècle pour les émigrés qui s'embarquaient à Hambourg vers l'Amérique. La rue "An der Alster" relie le faubourg Saint-Georges au quartier d'Eimsbüttel par les ponts Kennedy et Lombard (à droite). Un bastion de l'enceinte de la ville datant de la guerre de Trente Ans se trouvait à cet endroit qui est occupé aujourd'hui par la Kunsthalle (Palais des Arts) et la gare centrale.

Chilehaus

Das Chilehaus ist das bekannteste der in den zwanziger Jahren im Kontorhausviertel zwischen Steinstraße und Meßberg entstandenen wuchtigen Backstein-Bürohäuser. Der Architekt Fritz Höger entwarf für den Hamburger Kaufmann Henry B. Sloman ein zehnstöckiges, expressionistisches Klinkergebäude in Form eines Schiffs – und spielte damit auf Slomans Salpeterhandel mit Chile an. Bedeutend sind der keramische Wandschmuck des Künstlers Richard Kuöhl und die jüngst denkmalsgerecht restaurierten Treppenhäuser.

Chilehaus

The striking Chilehaus is the best-known of the sturdy brick office blocks erected in the Kontorhausviertel (an old harbour quarter) in the twenties. The architect Fritz Höger designed this ten-storey, Expressionist brick building for a Hamburg merchant, Henry B. Sloman. The house takes the form of a ship and both its name and shape make specific reference to Sloman's business – the trade in saltpetre with Chile. Chilehaus is worth a visit for its notable ceramic wall decorations by Richard Kuöhl and its painstakingly restored stairwells.

La Maison du Chili

La Maison du Chili est le plus connu des immeubles de bureaux en briques, construits dans les années vingt entre les rues Steinstrasse et Messberg. L'architecte Fritz Höger conçut cet édifice de 10 étages de style expressionniste pour un riche marchand hambourgeois nommé Henry B. Sloman et lui donna la forme d'un navire car Sloman avait fait fortune en important du salpêtre du Chili. A l'intérieur, on peut admirer des décorations en céramique de l'artiste Richard Kuöhl et la cage d'escalier, récemment restaurée.

Die historische Speicherstadt ist immer noch der weltgrößte zusammenhängende Lagerhauskomplex der Welt. Hier werden die Waren noch immer nach alter Gewohnheit mit Seilwinden auf die Böden "hochgehüsert". Es riecht nach Kaffee, Kakao, Tee und Gewürzen. Wegen der dicken Backsteinbauweise sind die Speicher im Sommer kühl und im Winter warm. Sie eignen sich besonders gut für hochwertige Waren, wie Computer, Elektronik und Teppiche. So viele Teppiche wie hier gibt es nur noch in Teheran.

Hamburg's historic Speicherstadt is even today the largest warehouse complex in the world. Goods are still hauled up by winches, just as they were in earlier days, and stored on the upper floors. It smells of coffee here, of cocoa, tea and spices. Because of the massive brick walls the storerooms keep warm in winter and cool in summer. They are particularly suitable for storing valuable goods like computers, electronic equipment and Oriental carpets - only in Teheran could you find as many carpets as there are here.

Les entrepôts historiques sont le plus grand complexe de docks du monde. Comme autrefois, on utilise encore des treuils à câble pour soulever les marchandises. L'air sent le café, le thé, le cacao et les épices. Les entrepôts aux murs de briques épais sont frais en été et chauds en hiver. Ils sont d'excellents abris pour des marchandises délicates telles que les ordinateurs, les appareils électroniques et les tapis. On trouve seulement à Téhéran autant de tapis qu'ici.

Der Museums-Windjammer "Rickmer Rickmers" hat seit 1987 am Hafentor festgemacht. Die 1896 in Bremerhaven gebaute Dreimast-Stahlbark war im Salpeterhandel unterwegs zwischen Hamburg und Chile. Im Ersten Weltkrieg beschlagnahmt, fuhr sie bis 1962, unter anderem als Segelschulschiff, unter portugiesischer Flagge. Der Verein "Windjammer für Hamburg" rettete sie vor dem Verschrotten und sorgte für die Restaurierung. Nun liegt die "Rickmer Rickmers" an Hamburgs schönster Stätte zur Besichtigung für alle Landratten mit Fernweh.

The windjammer `Rickmer Rickmers' has been anchored at the harbour entrance since 1987. This three-masted barque was built in Bremerhaven in 1896 and plied between Hamburg and Chile in the saltpetre trade. Seized in the 1914-18 war, until 1992 she sailed under the Portuguese flag, occasionally in use as a training ship. The `Windjammer für Hamburg' society saved her from the breaker's yard and organized her restoration. Now the `Rickmer Rickmers' takes pride of place in the harbour, open to view for all nostalgic armchair adventurers.

Le voilier "Rickmer Rickmers" est amarré dans le port de Hambourg depuis 1987. Construit en 1896 à Bremerhaven, le trois-mâts transportait du salpêtre du Chili à Hambourg. Il fut confisqué à la fin de la première guerre mondiale et navigua sous pavillon portugais jusqu'en 1962, servant entre autres de voilier d'entraînement. L'association "Windjammer für Hamburg" le sauva de la démolition et le fit restaurer. Le "Rickmer Rickmers" est aujourd'hui un musée, visité par tous ceux qui rêvent de voyages lointains.

Überseebrücke mit "Cap San Diego" und Bundesmarine

Die Überseebrücke am Baumwall ist Liegeplatz für große Kreuzfahrtschiffe, für Windjammer oder Marineeinheiten. An ihrer Rückseite können im City-Sporthafen die Skipper kleinerer Segelyachten anlegen und die Stadt besichtigen. Hier ankert auch seit 1989 der Museumsfrachter "Cap San Diego". Der "weiße Schwan des Atlantik" wurde 1962 auf der Deutschen Werft in Hamburg gebaut. Er fuhr nur 24 Jahre im Stückgutverkehr, bis zur Einführung des Containertransports. Besonders interessant sind die Besichtigung von Kapitänsbrücke und Maschinenraum.

Large cruisers, windjammers and the ships of the German navy are all berthed beside the Überseebrücke. Skippers of smaller yachts anchor their craft in the Hamburg marina on the far side of the bridge. The `Cap San Diego', has been moored here since 1989. This freighter, dubbed `the white swan of the Atlantic', was built in Hamburg in 1962 and was in service for only 24 years before container ships were introduced. The `Cap San Diego' is now a tourist attraction. Of special interest to visitors are the captain's bridge and the machine room.

Les grands paquebots et voiliers et des navires de la Marine nationale sont amarrés au quai du Baumwall. Derrière, on trouve le port de plaisance pour des bateaux de taille plus modeste. Le cargo "Cap San Diego" y est également ancré depuis 1989. Construit en 1962 dans les chantiers navals de Hambourg, il a transporté des marchandises pendant 24 ans jusqu'à l'arrivée des porte-conteneurs. Il est un musée aujourd'hui. Le pont du capitaine et la salle des machines sont particulièrement intéressants.

Vom "Elbe-Hauptbahnhof" für kleinere Passagierschiffe starten die berühmten Hafenrundfahrten mit kleinen Barkassen und großen Flußkreuzern. Dazu verkehren hier die Hafenfähren und die Ausflugsdampfer der HADAG. Mit ihnen kommt man nach Finkenwerder, zum Museumshafen Övelgönne, nach Blankenese und zur Schiffsbegrüßungsanlage Schulau. Durch den Alten Elbtunnel kommt man zu Fuß auf die andere Seite der Elbe. Die Hochbahnstrecke der U 3 von den St.Pauli-Landungsbrücken bis zum Rödingsmarkt ist der wohl schönste U-Bahn-Abschnitt der Welt.

It is from the St Pauli landing-stages that harbour tours start, on small launches and on large river cruisers. The harbour ferries and pleasure boats also dock here. They will take you to Finkenwerder, to the museum harbour of Övelgönne, to Blankenese and northwards to the reception post in Schulau, just downriver from where the Elbe meets the city boundary. The underground from the St Pauli landing-stages to Rödingmarkt actually runs above ground along the river, making it the world's most attractive stretch of underground railway.

Les embarcadères de St Paul sont le point de départ de la navigation de plaisance dans le port et sur l'Elbe. On peut visiter le port à bord de petites barcasses ou de bateaux de croisière. C'est également d'ici que partent les bacs et bateaux à vapeur de l'HADAG vers Finkenwerder, vers le port-musée d'Övelgönne, vers Blankenese et vers Schulau. On peut traverser l'Elbe à pied par l'ancien tunnel. Le métro aérien qui va des embarcadères de St Paul au Rödingsmarkt est sans aucun doute le plus joli trajet en métro du monde.

Hamburgs Hafen beträgt 75 Quadratkilometer, ein Zehntel der Fläche der Hansestadt. 13.000 Seeschiffe laufen ihn pro Jahr an, aber auch ebensoviele Binnenschiffe. Die Anzahl der Schiffe wird immer geringer, dafür wird ihre Tonnage immer gewaltiger. In der Weltrangliste der Containerhäfen liegt Hamburg an siebter Stelle, europaweit nach Rotterdam an Platz zwei. Das Fahrwasser der Elbe muß ständig weiter vertieft werden. Der Hafen benötigt Erweiterungsgebiet, für das bereits die alten Fischerdörfer Moorburg und Altenwerder weichen mußten.

Hamburg harbour extends over 75 sq. km, a tenth of the area of the city, and 13,000 seagoing vessels dock here annually, as do a similar number of inland vessels. Although the number of ships is declining, their tonnage has been greatly increased and the Elbe's shipping channels require regular dredging. Hamburg is the world's seventh largest container port and Europe's second largest after Rotterdam. Two fishing villages, Moorburg and Altenwerder, were demolished to make way for port facilities, and now more land is needed for expansion.

Le port a une superficie de 75 km^2, à savoir un dixième de Hambourg. Il reçoit 13 000 navires océaniques par an, et autant de bateaux de navigation fluviale. Le nombre des navires diminue, mais leur tonnage ne cesse d'augmenter. Hambourg est le septième port à conteneurs du monde et le deuxième en Europe après Rotterdam. Il faut sans cesse approfondir le chenal de l'Elbe. Le port a également besoin d'être élargi, ce qui a déjà causé la disparition des anciens villages de pêcheurs Moorburg et Altenwerder.

Am 7. Mai 1189 erhielt Hamburg das Privileg, seine Waren auf der ganzen Elbe zollfrei zu verschiffen. Diesen Tag feiern die Hamburger jedes Jahr als Hafengeburtstag. Je nach Wetterlage finden sich rund eine Million Zuschauer und Mitmacher am Elbufer zwischen Baumwall und Fischmarkt ein. Schiffe paradieren, Hafenschlepper tanzen "Ballett", der Zoll demonstriert einen Schmugglerkrimi. Heißen Rock und kaltes Bier gibts auf der bunten Meile der Schausteller. Und in der "Barbarossanacht" erleuchtet ein brillantes Feuerwerk die Elbe.

It was on May 7th 1189 that Hamburg merchants were granted the privilege of exemption from taxes when transporting goods along the Elbe. This event is celebrated annually on the 'Harbour Birthday.' In fine weather up to a million spectators and performers line the banks of the Elbe between Baumwall and Fischmarkt. Ships parade on the water, tugs perform a 'ballet' and the customs stage a smuggling whodunit. The riverside show continues with hot rock music and cold beer, and on Barbarossa Night a blazing firework display illuminates the Elbe.

Le 7 mai 1189, Hambourg recevait le privilège de transporter ses marchandises sur l'Elbe sans avoir à payer de douane. Chaque année, les Hambourgeois célèbrent ce jour appelé "l'anniversaire du port". Jusqu'à un million de spectateurs se retrouve sur les rives de l'Elbe entre le quai de Baumwall et le Fischmarkt (marché aux poissons). Les navires paradent, les remorqueurs dansent des "ballets", la Douane met des histoires de contrebandiers en scène. La bière coule à flots et le soir, un feu d'artifice illumine l'Elbe.

Niederhafen mit Kirche St. Katharinen
Hafenkneipe am Fischmarkt

Der Niederhafen an der Kehrwiederspitze der 100-jährigen Speicherstadt ist der älteste Teil des Hamburger Hafens. Die Kneipen an der Hafenstraße und am Fischmarkt dienten den Seeleuten aller sieben Meere als Ankerplatz. Heute sind die Liegezeiten so kurz geworden, daß die Seelords nur noch wenig Zeit zum Landgang haben. Vor, während und nach dem Fischmarktbesuch sieht man hier bei "Eier-Carl", "Zum Schellfischposten", "Bei Tante Hermine" oder "Fick" Landratten aller Couleur. Bei Eierpunsch und Grog wird gesungen, getanzt, geschunkelt und geschmust.

Niederhafen and St Katharinen church
Bar at the fish market

The Niederhafen is the oldest part of Hamburg harbour. Mariners from all seven seas used to drop anchor at the bars along Hafenstrasse and the Fischmarkt. Nowadays, however, ships dock for such short periods that crews have very little time to go on land. So it is a motley assortment of landlubbers who frequent bars like `Eier-Carl,' `Zum Schellfischposten' and `Bei Tante Hermine', especially before, during and after a visit to the fish market. It is here they down egg nog and grog, and here that they come for a song, a dance and a cuddle.

Niederhafen and St Katharinen church
Bar at the fish market

Le Niederhafen (port bas) situé au bout des entrepôts centenaires, est la partie la plus ancienne du port. Autrefois, les cafés de la rue Hafenstrasse et du Fischmarkt étaient fréquentés par des marins de toutes les mers du monde. Mais les jours de planche sont si réduits aujourd'hui qu'ils n'ont plus guère le temps de descendre à terre. Dès le petit matin, une foule bigarrée envahit les cafés du Marché aux poissons. On se retrouve chez "Eier-Carl", au " Zum Schellfischposten", chez "Bei Tante Hermine" et au "Fick".

Fischmarkt

Seit 1700 gibt es den sonntagmorgendlichen Fischmarkt an der Elbe. Er fängt um 5 Uhr an und muß um 9.30 Uhr zuende sein. Eine alte Tradition, weil die Pastoren den Fischern zwar erlaubten, ihren leicht verderblichen Fang am heiligen Sonntag zu verkaufen, sie aber um 10 Uhr in der Kirche sehen wollten. Heute verkaufen die oft sehr spaßigen Marktschreier außer Meeresfrüchten auch Obst, Gemüse und Pflanzen sowie Kitsch und Trödel aller Art. In der ehemaligen Fischauktionshalle frühstücken viele von der Reeperbahn gekommene Nachtschwärmer.

The fish market

The regular Sunday fish market has existed since 1700. It starts at 5 a.m. and is over by 9.30 a.m. This is an old tradition, dating back to the times when the clergy permitted fishermen to sell their perishable wares even on a Sunday but insisted on seeing them in church by 10 o'clock. These days the often quick-witted, humorous market traders deal in other wares besides fish. They sell fruit, vegetables, garden plants and all kinds of bric-a-brac. "Nightowls" breakfast in the former auction rooms after an outing on the Reeperbahn.

Le marché aux poissons

Le marché aux poissons du dimanche qui existe depuis 1700, est ouvert entre 5 heures et 9 heures et demie du matin. Cette tradition remonte à l'époque où les pêcheurs avaient le droit de vendre leurs marchandises périssables le jour du Seigneur, à condition d'être à la messe à 10 heures. Aujourd'hui, les vendeurs à la criée ne vendent pas seulement du poisson, mais aussi des fruits, des légumes et même de la brocante. Beaucoup de noctambules de la Reeperbahn viennent déjeuner dans l'ancienne halle de vente à la criée.

Das weltbekannte Vergnügungsviertel St.Pauli und die "sündige Meile" Reeperbahn sind längst nicht mehr allein den Sexshows und dem Geschäft mit der käuflichen Liebe gewidmet. Die Jugend der Hansestadt hat seit den achtziger Jahren die Musikclubs, Diskotheken und Kneipen des "Kiez" wiederentdeckt. Die schrillen Theater Schmidt und Schmidts Tivoli, die Musicalbühnen Operettenhaus ("Cats") und Imperial-Theater ("Grease"), das St.Pauli-Theater und das Panoptikum sowie ein einzigartiges Erotic Art Museum locken viele Kulturinteressierte.

The world-famous entertainment district of St Pauli and the `sinful mile' of the Reeperbahn are no longer solely devoted to sex shows and the world's oldest profession. In the eighties the young people of Hamburg discovered the music clubs, discos and bars of the district. In addition St Pauli offers other forms of entertainment: there is the raucous Schmidt Theatre and the Tivoli, the musical theatre of the Operettenhaus (`Cats'), the Imperial Theatre (`Grease'), the St Pauli Theatre and the Panoptikum and last but not least the unique Erotic Art museum.

Célèbres dans le monde entier, le quartier "des plaisirs" St Pauli et la rue dite Reeperbahn ne sont plus le domaine exclusif des shows érotiques et de la plus ancienne profession du monde. La jeunesse de la ville hanséatique a redécouvert les dancings, bars et boîtes de nuit du "Kiez" dans les années 80. Les cabarets Schmidt et Schmidts Tivoli, les salles de spectacles Operettenhaus (Cats) et Imperial-Theater (Grease), le théâtre St. Pauli, le Panoptikum et le Erotic Art Museum attirent les amateurs de culture.

Während das eigentliche "Rotlichtviertel" hinter der Davidwache beginnt, ist die Große Freiheit die Straße der Sexshows. Im Safari und im Salambo "tun" sie es wirklich auf offener Bühne. In Einrichtungen mit dem Aufkleber "St.Pauli o.k" ist man vor Nepp sicher. Das Stimmungslokal Große Freiheit Nr.7 ist der Seemannskneipe im gleichnamigen Film nachgebaut, in der Hans Albers "Auf der Reeperbahn nachts um halb eins" sang. Der Live-Musikclub Große Freiheit 36 steht in der Tradition der Beatles, die in den Sechzigern im Starclub ihre Karriere starteten.

While St Pauli's 'red light district' starts around the 'Davidswache', the Grosse Freiheit is the street for sex shows. In 'Safari' and 'Salambo' there is even live on-stage sex. It's easy to be cheated in St Pauli, but fair play is guaranteed at establishments displaying a 'St Pauli o.k.' sticker. No 7, Grosse Freiheit, was used as the setting of a popular sentimental pre war film about the district; nowadays Grosse Freiheit is more famous as the home of the Star Club where the Beatles began their career in the sixties.

La Grosse Freiheit (Grande Liberté) est la rue des shows pornographiques. Ce qui se passe sur les scènes du Safari et du Salambo n'est pas du bluff. Les établissements avec un autocollant "St. Pauli o.k" ne pratiquent pas le coup de fusil. Le local "Grosse Freiheit Nr 7" a repris le décor du café de marins que l'on peut voir dans le film du même nom où joue le grand acteur allemand Hans Albers. Le club "Grosse Freiheit 36" rappelle les Beatles qui ont commencé leur carrière au Starclub dans les années soixante.

Für den Bau der Speicherstadt mußten 20.000 Hamburger umgesiedelt werden. Um die Im- und Exportfirmen der Stadt in den 1888 entstandenen Freihafen zu holen, wurde ein malerisches Kaufmanns- und Wohnquartier abgerissen und auf tausenden Pfählen Backsteinspeicher und Kaianlagen errichtet. Heute wird wieder darüber nachgedacht, die denkmalgeschützte Speicherstadt für Wohnungen und Büros umzubauen. Im Hintergrund erkennt man das Hauptgebäude der Hamburger Hafen Lagerhaus Aktiengesellschaft (HHLA), die die Speicherstadt bewirtschaftet.

When the Speicherstadt was built at the turn of the century, 20,000 people had to be resettled. Picturesque old houses were demolished to make way for brick storehouses and quays, whose foundations first had to be fortified with thousands of piles. The new quarter aimed to attract import and export firms to the Freihafen (free harbour), built in 1888. Now the Speicherstadt's listed buildings may well be reconverted into living quarters and offices. In the background are the headquarters of the HHLA, the district's administrators.

La construction des entrepôts exigea le déménagement de 20 000 Hambourgeois. Un faubourg pittoresque dut être rasé pour laisser la place à des docks en brique érigés sur des milliers de pilotis, destinés à loger les firmes d'exportation et d'importation dans le port franc créé en 1888. Il est question aujourd'hui de transformer le complexe, monument protégé, en bureaux et habitations. A l'arrière-plan, on aperçoit l'immeuble de la société HHLA qui administre les entrepôts.

In der historischen Deichstraße sind die letzten alt-hamburgischen Kaufmannshäuser erhaltengeblieben. Diese Kontore hatten ihre Speicher in den oberen Stockwerken. Der Kaufmann wohnte mit Familie, Angestellten und Waren unter einem Dach. Handelsgüter wurden mit Seilwinden von Schuten aus dem mittelalterlichen Hafenbecken des Nikolaifleets gehievt. Durch schmale Durchgänge gelangt man an das Fleet. Die Alsterdampfer-Fleetfahrten starten am Jungfernstieg und zeigen neben den Fleeten auch die Speicherstadt.

Hamburg's only remaining 18th century merchants' houses have been preserved in Deichstrasse. These buildings combined house, office and warehouse under one roof. The attic provided storage; the rest of the building was divided into offices and living quarters for the merchant and his family. Narrow alleys lead to the medieval harbour of Nikolaifleet, where goods were delivered by open boats called lighters, then winched up to the storerooms. Visitors can see Hamburg's old canals and harbours and the Speicherstadt from harbour cruisers.

Les dernières maisons anciennes de commerçants se trouvent dans la Deichstrasse historique. Les étages supérieurs servaient d'entrepôts. Les commerçants vivaient avec famille, employés et stocks sous un même toit. Les marchandises étaient hissées avec des treuils à câble depuis des gabares qui circulaient sur le canal Nikolai. Des passages étroits mènent au canal datant du moyen âge. Les circuits des canaux en bateaux partent du Jungfernstieg et incluent également la visite des entrepôts.

Der Name der Deichstraße weist darauf hin, daß hier bereits um 1300 ein Deich die Siedlung am Rödingsmarkt vor Hochwasser schützte. Zunächst siedelten hier die Bierbrauer, seit dem 17. Jahrhundert die Kaufleute. Das Feuer des Großen Brandes von 1842 brach in der Deichstraße aus. Es zerstörte fast das gesamte Alt-Hamburg, 70.000 Hamburger wurden obdachlos. Heute befinden sich in den übrig gebliebenen, dank privater Initiative unter Denkmalsschutz stehenden Häusern viele urige Gaststätten.

Deichstrasse (Dyke Street) acquired its name from the dyke that as early as 1300 was in place to protect the houses around Rödingmarkt from floods. The brewers were the first to settle here, and in the 17th century they were succeeded by merchants. The Great Fire of 1842, which started in Deichstrasse, went on to ravage most of the old city of Hamburg and was to leave 70,000 people homeless. Thanks to private initiative, the surviving houses in Deichstrasse are now listed buildings. Many have been converted into cosy restaurants.

Le nom de la Deichstrasse (rue de la Digue) rappelle qu'une digue protégeait déjà l'endroit en 1300. Le Rödingsmarkt actuel fut d'abord un quartier de brasseurs puis de commerçants à partir du 17e siècle. Le grand incendie de 1842 qui ravagea presque tout le Vieux Hambourg, éclata dans la Deichstrasse. 70 000 Hambourgeois se retrouvèrent sans toit. Grâce à des initiatives privées, les maisons conservées sont aujourd'hui monuments protégés, et abritent pour la plupart des tavernes pittoresques.

Die vier Kilometer lange Köhlbrandbrücke ist seit 1974 ein neues Wahrzeichen der Hansestadt. Sie ist nach dem als "Köhlbrand" bezeichneten nördlichen Abschnitt der Süderelbe benannt, die sich an der Einfahrt zum Neuen Elbtunnel mit der Norderelbe vereinigt. Die 54 Meter hohe, ausschließlich für Autos bestimmte Tragseilbrücke verbindet das Container-Terminal Waltershof und den Freihafen mit der Autobahn Bremen/Hannover-Flensburg. Von ihr hat man einen herrlichen Panoramablick über den Hafen.

Since 1974 the four-kilometre long Köhlbrandt bridge has been a distinctive new landmark in Hamburg. Just north of the bridge, near the entrance to the new Elbe tunnel, the Elbe divides into two. The upper stretch of the southern section is known as the Köhlbrandt and it is from this that the bridge takes its name. The 54-metre-high suspension bridge is designed for cars and links the Waltershof container terminal and the Freihafen with the Bremen-Hannover-Flensburg motorway. The bridge offers a panoramic view of the harbour.

Construit en 1974, le pont dit Köhlbrandbrücke, long de 4 km, est devenu un autre symbole de la ville hanséatique. Il porte le même nom "Köhlbrand" que la partie nord de l'Elbe inférieure qui rejoint l'Elbe supérieure à l'entrée du nouveau tunnel sous l'Elbe. Le pont suspendu, de 54 mètres de hauteur, est réservé à la circulation routière et relie le terminal à conteneurs Waltershof et le port franc à l'autoroute Brême/Hannovre-Flensburg. Depuis ce pont, on découvre un panorama magnifique sur le port.

Blankenese ist ein "Dorf mit Überseeverkehr": Die ursprüngliche Fischersiedlung bildet heute einen noblen Vorort, in dem viele Hamburger Kaufleute, Reeder und Verleger wohnen. Im idyllischen Treppenviertel unterhalb des 75 Meter hohen Süllbergs gibt es noch viele reetgedeckte ehemalige Fischerhäuser. Fast 5.000 Stufen kann man hier ersteigen oder mit dem Minibus "Bergziege" zum Elbstrand hinunter fahren. Vom Blankeneser Anleger gehen Fähren nach St.Pauli und ins Alte Land.

Blankenese is a 'village with nautical connections'. Originally a fishing community, today Blankenese is one of Hamburg's wealthiest suburbs, the home of industrialists, shipowners and publishers. Many of the thatched cottages in the idyllic 'Treppenviertel', on the slopes of Süllberg hill, were once fishermen's dwellings. As the name Treppenviertel implies, there are numerous steps here. A flight of 5,000 will take you to the Elbe (and so will the 'Mountain Goat' bus). Ferry services connect Blankenese with St Pauli and the Alte Land.

L'ancien village de pêcheurs Blankenese est aujourd'hui un faubourg élégant où de nombreux commerçants, armateurs et éditeurs hambourgeois ont leurs résidences. Au pied du Süllberg haut de 75 mètres, le quartier idyllique dit Treppenviertel (quartier de l'escalier) abrite plusieurs maisons anciennes de pêcheurs aux toits de roseaux. On peut emprunter l'escalier de 5000 marches ou un minibus pour rejoindre la rive de l'Elbe. Des bacs partent de l'embarcadère de Blankenese vers St. Pauli et vers la campagne de l'Alte Land.

Der bald hundertjährige Wittenberger Leuchtturm dient der Sicherung des Elbfahrwassers bei Nacht. Die Elbe ist hier bereits fast drei Kilometer breit. Sie entspringt 1.165 Kilometer vor der Deutschen Bucht im slowakischen Riesengebirge und strömt durch das Elbsandsteingebirge an Hamburgs Partnerstadt Dresden vorbei. Unterhalb des Hamburger Hafens beginnt der Mündungstrichter der Elbe. Die große Seeschiffahrt wird bis zur Nordseemündung bei Cuxhaven von Elblotsen geleitet.

For nearly a century Wittenberg lighthouse has ensured the safety of ships on the Elbe by night. At this point the river is almost three kilometres wide. Its source lies over 1,000 kilometres away in the Riesengebirge, now part of Slovakia. Near the German border the Elbe runs past the bizarre scenery of the Elbsandsteingebirge and continues to Hamburg's twin town of Dresden. Just downriver from Hamburg harbour the Elbe widens into an estuary before flowing into the North Sea. Pilots guide larger ships to the mouth of the Elbe at Cuxhaven.

Presque centenaire, le phare de Wittenberg sert à la sécurité de la navigation sur l'Elbe durant la nuit. Le fleuve long de 1165 km, a déjà trois km de large à cet endroit. Il prend sa source dans les Monts des Géants en Slovaquie, coule à travers les plateaux de grès de l'Elbsandsteingebirge, passe à Dresde et Magdebourg. L'estuaire de l'Elbe commence au-dessous du port de Hambourg. Les grands navires sont dirigés par des bateaux-pilotes jusqu'à l'embouchure du fleuve dans la Mer du Nord.

AHRENSBURG, Schloß

Der dänische Gesandte Peter Graf Rantzau ließ 1598 in Ahrensburg eine Renaissance-Wasserburg nach dem Vorbild des Glücksburger Schlosses errichten. Das Innere wurde 1759 von dem Kaufmann Carl Graf von Schimmelmann weitgehend umgestaltet. Bei einer Schloßführung sind der Lebensstil und die Wohnkultur des holsteinischen Landadels im 18. und 19. Jahrhundert zu bewundern. Die heute zu Schleswig-Holstein gehörende Stadt Ahrensburg ist wegen ihrer schnellen Autobahnanbindung bevorzugte Wohngegend für in Hamburg tätige Pendler.

AHRENSBURG, Castle

In 1598 the Danish ambassador Count Peter Rantzau built a moated mansion for himself in Ahrensburg. The present interior dates from 1759, when the merchant Count Carl von Schimmelmann had the house redesigned. The mansion is open to the public and gives a fascinating insight into the lifestyle and customs of the rural nobility of Holstein in the 18th and 19th centuries. Although the town of Ahrensburg is in the state of Schleswig-Holstein, many people choose to live here and use the good motorway connections to commute to work in Hamburg.

AHRENSBURG, Château

Le comte Pierre Rantzau, envoyé danois, fit construire un château Renaissance en 1598 selon le modèle du remarquable château de Glücksburg. Le comte Carl von Schimmelmann en transforma l'intérieur en 1759. Une visite permet de découvrir le style de vie de l'aristocratie terrienne de la région aux 18e et 19e siècles. Grâce à la connexion rapide par autoroute, il est facile aujourd'hui de travailler à Hambourg, mais de résider dans la ville d'Ahrensburg, qui fait partie de la province du Schleswig-Holstein.

Das im frühen 13. Jahrhundert errichtete Wasserschloß Bergedorf ist die einzige mittelalterliche Burg im Hamburger Raum und beinhaltet Stilelemente aus allen Epochen. Heute beherbergt es ein Museum für Bergedorf und die Vierlande. Bergedorf, der größte Stadtteil Hamburgs, wurde 1867 für 200.000 preußische Taler von der Hansestadt erworben. Eine dreistündige Alsterdampferfahrt führt durch die Vier- und Marschlande bis ins Zentrum. Die Vierlande sind Deutschlands größtes zusammenhängendes Gemüse- und Blumenanbaugebiet.

The moated house of Bergedorf dates back to the 13th century. The only surviving medieval mansion in the Hamburg region, it has been added to so often that styles of all periods are found within its walls. Schloss Bergedorf now houses a local history museum. The town of Bergedorf was purchased by the city of Hamburg in 1867 and is the largest borough in the metropolis. South of Bergedorf is Vierlande, Germany's largest vegetable and flower-growing district. The best way to see this area is to take the three-hour steamer trip from Hamburg.

Bergedorf, érigé au début du 13e siècle, est l'unique château médiéval de la région hambourgeoise. L'édifice qui comprend des éléments d'époques différentes, abrite un musée retraçant l'histoire de Bergedorf et des Vierlande. En 1867, Bergedorf, le plus grand faubourg de Hambourg, fut acheté pour 200 000 thalers prussiens par la cité hanséatique. Un circuit de trois heures sur un bateau à vapeur fait découvrir les Marschlande et les Vierlande où s'étendent les plus grandes cultures de fleurs et légumes d'Allemagne.

Die Vier- und Marschlande leiten ihren Namen von den vier Kirchdörfern Curslack, Altengamme, Neuengamme und Kirchwerder und den Marschendörfern Billwerder und Ochsenwerder ab, die sich östlich von Hamburg kilometerweit an den Deichen von Dove Elbe und Gose Elbe entlangziehen. Die Kirche St.Johannis in Curslack mit ihrem kreuzförmig erweiterten Fachwerkbau und dem freistehenden Glockenturm aus Holz besitzt als Besonderheit an den Männerbänken 55 kunstvolle schmiedeeiserne Hutständer aus den vergangenen Jahrhunderten.

The Vierlande (four lands) district, south-east of Hamburg, derives its name from four parishes: Curslack, Altengamme, Neuengamme and Kirchwerder. The main villages of the Marschlande, between Vierlande and Hamburg, are Billwerder and Ochsenwerder. Both extend for miles along the dykes of two tributaries of the Elbe, the Dove Elbe and Gose Elbe. Curslack's 400-year-old timbered church of St Johannis has a free-standing wooden bell tower. The church contains a 19th century curiosity - the men's pews, with their 55 wrought-iron hat-stands.

Les Vierlande (Quatre-Pays) doivent leur nom aux quatre villages Curslack, Altengamme, Neuengamme et Kirchwerder. Les Marschenlande sont des terres conquises sur la mer. Situés à l'est de Hambourg, les villages Billwerder et Ochsenwerder s'étirent sur des kilomètres le long des digues de Dove Elbe et de Gose Elbe. L'église St Jean de Curslack est un édifice à colombages avec un campanile en bois. A l'intérieur, les bancs qui étaient réservés aux hommes sont ornés de 55 porte-chapeaux en fer forgé, datant du siècle dernier.

Zu Hamburg gehören Francop, Cranz und Neuenfelde. Der Rest des Alten Landes mit Buxtehude, Jork und Stade gehört zu Niedersachsen. Millionen von Apfel- und Kirschbäumen stehen Ende April und Anfang Mai in voller Blüte. Spezialität des Alten Landes ist der Obstschnaps, den man, genauso wie das Obst, an vielen Ständen am Straßenrand kaufen kann. Die Hafenfähren fahren von den St.Pauli-Landungsbrücken nach Cranz. In Borstel kann man Fahrräder leihen und auf den sattgrünen Este- und Lühedeichen spazierenfahren.

High season in the Altes Land comes in late April and early May when the millions of apple and cherry trees are in blossom. A local speciality - and one to be treated with respect - is Obstschnaps, a clear, highly alcoholic drink distilled from fruit. It is available at roadside stands, which also sell freshly-picked fruit to passers-by. The ideal way to reach the Altes Land is by ferry from the St Pauli landing-stages, and the ideal way to explore the region is to hire a bike and admire the view from the flat roads that top the dykes.

Francop, Cranz et Neuenfelde font partie de Hambourg. Le reste de l'Alte Land avec Buxtehude, Jork et Stade, appartient à la Basse-Saxe. Des millions de cerisiers et pommiers s'épanouissent de fin avril à début mai. Une spécialité de la région est l'eau-de-vie de fruits que l'on peut acheter dans les nombreux stands qui bordent les routes. Des bacs partent des embarcadères de St Paul à Hambourg pour Cranz. A Borstel, il est possible de louer des bicyclettes pour explorer la nature verdoyante près des digues d'Este et de Lühe.

Das Alte Land am Südufer der Unterelbe zwischen Finkenwerder und Stade ist das am weitesten nördlich gelegene Obstanbaugebiet der Erde. Bereits vor 800 Jahren deichten holländische Einwanderer das sumpfige Gelände ein und entwässerten es mit Hilfe von Kanälen. Vielleicht erinnert die Hoogen-Dieck-Brücke von Steinkirchen deshalb auch an ein Gemälde von Vincent van Gogh. Sehenswert sind viele Barockkirchen mit wertvollen Arp-Schnitger-Orgeln und prachtvolle reetgedeckte Bauernhäuser mit reich geschnitztem weißen Fachwerk und charakteristischen Prunkpforten.

The `Altes Land' (Old Land), south-west of Hamburg, covers the region south of the Elbe between Finkenwerder and Stade. It is indeed old: it was 800 years ago that Dutch immigrants drained a marshy landscape which was to become the most northerly fruit-growing region in Germany, if not in the world. That the fruit brought wealth to the area can plainly be seen in the exquisite Baroque churches, some with rare Arp-Schnitger organs, and in the imposing thatched farmhouses with their elegantly-carved white timbering and elaborate gateways.

L'Alte Land qui s'étend sur la rive sud de l'Elbe inférieure entre Kinkenwerder et Stade, est la région de vergers la plus au nord de la terre. Dès le 10e s., des colons hollandais endiguèrent la région marécageuse et l'asséchèrent à l'aide de canaux. C'est peut-être pourquoi le pont de Hoogen-Dieck à Steinkirchen évoque une peinture de van Gogh. A voir: les églises baroques avec de précieux orgues d'Arp Schnitger et les fermes cossues, aux toits de roseaux, aux façades à pans de bois blancs sculptés et aux portails splendides.

BILDNACHWEIS / table of illustrations / table des illustrations

Fritz Mader: 7, 8, 12, 13, 14, 15, 16, 19, 20 links oben u. unten, 23, 24, 27, 29, 30, 31, 32, 38, 39, 41, 42 (Rücktitel), 43, 44, 45, 47, 49, 50, 51, 60
Deutsche Luftbild, Hamburg: 22, 26, 28, 40, 52, 54, 55, 56, 57
Fridmar Damm: 21, 37, 46, 48, 53, 58, 59
Horst Ziethen: Titelbild, 10, 17, 25, 36
Achim Sperber: 20 rechts oben u. unten, 34
Bilderberg / H.J. Burkard: 9, 33, 35
Hartmut Schwarzbach / argus-Fotoarchiv: 10
Hamburg-Information GmbH: 18

Stadtplan auf den Vorsatzseiten: ATELIER HERBERT NEIDE / Layout: Bernd G. Reichert
Panorama-Karte auf den Nachsatzseiten: Verlag Dr. Stintzing & Broockhoff GmbH, Glücksburg

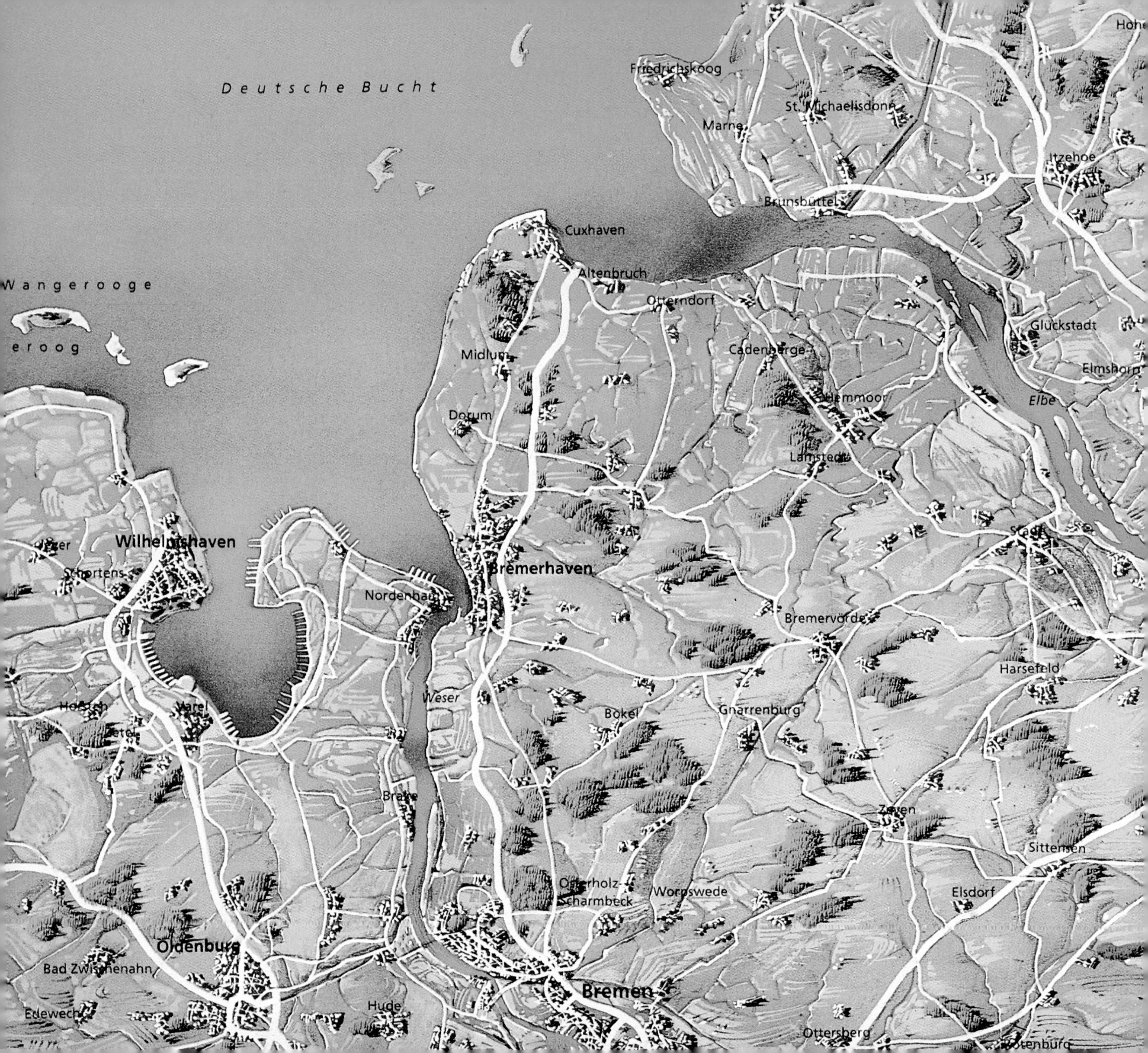
Deutsche Bucht
Wangerooge
Friedrichskoog
St. Michaelisdonn
Marne
Itzehoe
Brunsbüttel
Cuxhaven
Altenbruch
Otterndorf
Glückstadt
Cadenberge
Elmshorn
Midlum
Hemmoor
Elbe
Dorum
Lamstedt
Wilhelmshaven
Schortens
Bremerhaven
Stade
Nordenham
Bremervörde
Harsefeld
Weser
Varel
Bokel
Gnarrenburg
Brake
Zeven
Sittensen
Osterholz-
Scharmbeck
Worpswede
Elsdorf
Oldenburg
Bad Zwischenahn
Bremen
Hude
Edewecht
Ottersberg